Cocina "rica y deliciosa"

Muffins y dulces rebanadas

¡Más de 50 exquisitas recetas de fácil preparación!

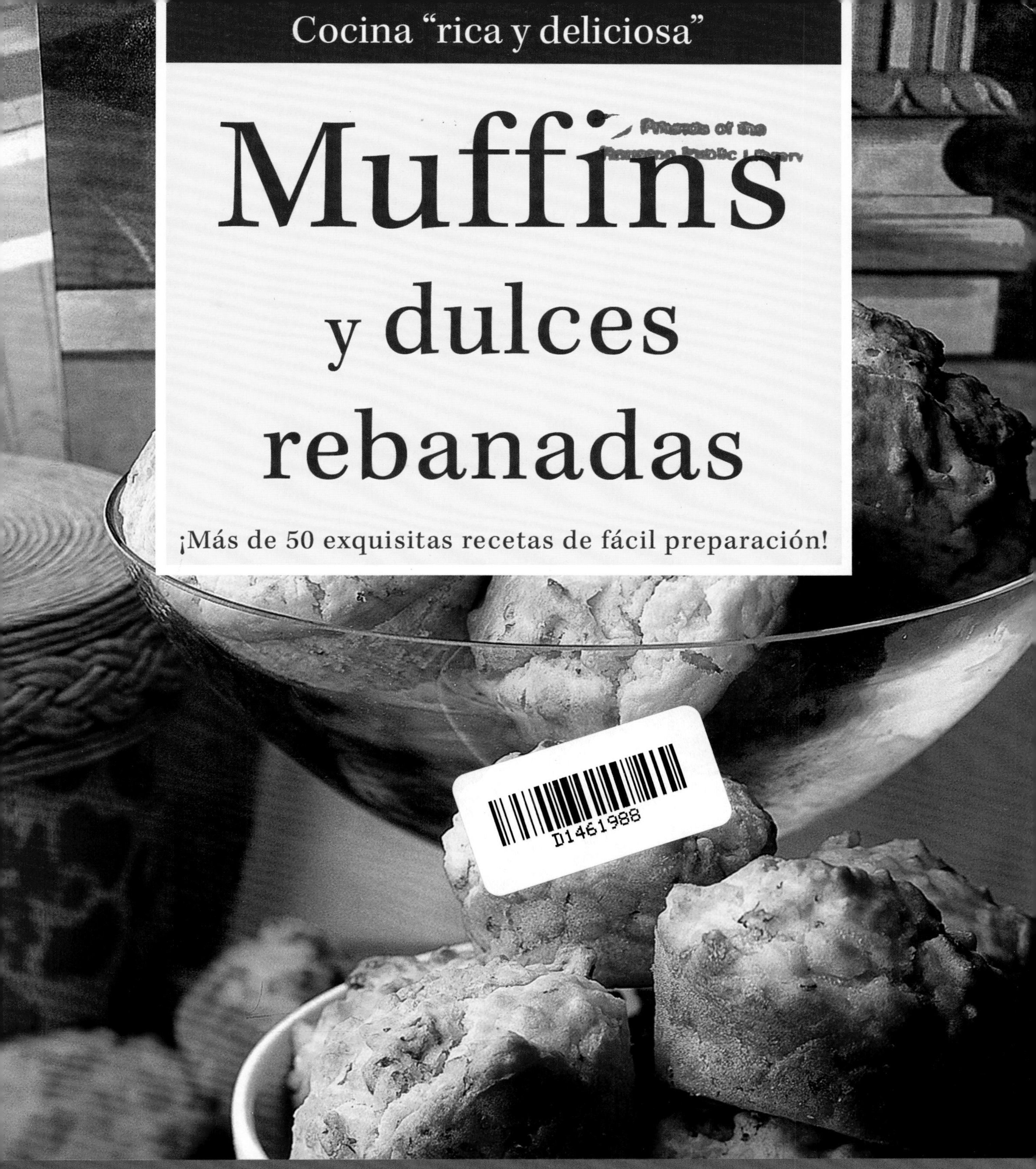

Grupo Editorial Tomo, S.A. de C.V.,
Nicolás San Juan 1043,
03100 México, D.F.

@ Copyright R&R Publications Marketing Pty. Ltd
ABN 78 348 105 138
PO Box 254, Carlton North, Victoria 3054 Australia
Phone (61 3) 9381 2199 Fax (61 3) 9381 2689
E-mail: info@randrpublications.com.au
Website: www.randrpublications.com.au
Australia wide toll free: 1800 063 296

Fresh & Tasty Muffins and slices

Publisher: Richard Carroll
Creative Director: Aisling Gallagher
Cover Designer: Lucy Adams
Production Manager: Anthony Carroll
Food Photography: Robert Monro, Warren Webb, Andrew Warn, William Meppem, Andrew Elton, Quentin Bacon, Gary Smith, Per Ericson
Food Stylists: Ann Fayle, Susan Bell, Coty Hahn, Janet Lodge, Di Kirby
Recipe Development: Ellen Argyriou, Di Kirby, Janet Lodge.
Proofreader: Paul Hassing

Nicolás San Juan 1043, Col. Del Valle, 03100, México, D.F.
Tels. 5575-6615, 5575-8701 y 5575-0186 Fax. 5575-6695
http://www.grupotomo.com.mx
ISBN-13: 978-607-415-308-8
Miembro de la Cámara Nacional
de la Industria Editorial No 2961

Traducción: Lorena Hidalgo Zabadúa
Diseño de portada: Karla Silva
Formación tipográfica: Armando Hernández
Supervisor de producción: Silvia Morales Torres

Impreso en México - *Printed in Mexico*

Contenido

Introducción 4
Secretos para hornear 5
Muffins 9
Rebanadas 33
De horneado rápido 55
Glosario 76
Pesos y medidas 78
Índice 80

Introducción

Nada se compara al sabor de los pasteles y las galletas horneados en casa. Aunque mucha gente considera que estas delicias no son más que un lejano recuerdo.

Pero no tiene que ser así. Este libro te demostrará que hornear no sólo es una manera fácil y accesible de llenar las loncheras de los niños y de satisfacer un antojo de tu familia, sino que también es divertido.

Aquí encontrarás un grupo de recetas fáciles de preparar que desempolvarán esos recuerdos de delicias al horno que tienes en la mente. Hornear nunca ha sido más simple, ni más divertido que con esta selección de pasteles. Un tazón, una batidora y unos cuantos minutos en la cocina es todo lo que necesitas para inundar tu casa con la calidez y el aroma que solo un muffin o pastel horneados en casa pueden provocar. En estas páginas hay una receta para satisfacer a todos en cualquier ocasión. Así que, descubre el placer de hornear en tu casa y sé testigo de cómo tus amigos y tu familia te piden más.

Secretos para hornear

Cuando se añade fruta fresca a una masa, lo mejor es seguir el siguiente consejo: las bayas enteras y la fruta fresca picada no se hunden hasta el fondo de los muffins u otros panes durante la cocción si primero no se revuelcan en harina. Después se pone la fruta en una coladera para quitar el exceso de harina, antes de añadirla a la masa. Además de ayudar a que la fruta se mantenga suspendida en toda la masa, revolcarla en harina previene que la fruta se pegue.

Los ingredientes básicos de los muffins —harina, saborizante, quizá un poco de levadura y líquido— son los mismos que se utilizan en otras muchas variedades de panes de rápida preparación. Crear tal diversidad a partir de unos artículos básicos tan comunes es cuestión de ajustar las proporciones de los ingredientes líquidos y secos. Usa dos partes de ingredientes secos por una parte de ingredientes líquidos para lograr una masa más espesa para hacer muffins o pan de molde. La masa todavía más espesa, con la proporción de ingredientes secos a líquidos de aproximadamente tres a uno, se usa en las galletas y los scones.

Los muffins y la mayoría de los panes de rápida cocción saben mejor si se comen poco después del horneado. Los que contienen fruta, nueces, verduras o cantidades moderadamente altas de grasa retienen la humedad por más tiempo que los que son más bajos en grasa. Si vas a comer los muffins al día siguiente, es mejor que los coloques en el refrigerador dentro de un recipiente hermético, y puedes tenerlos así hasta 12 meses. Para recalentarlos hornea los muffins congelados, envueltos en papel aluminio, a 175 °C de 15 a 20 minutos o hasta que estén bien calientes. También puedes guardar pan de preparación rápida y galletas de la misma manera.

Un horno exacto es esencial para hornear bien. Debe estar bien aislado y no tener fugas de aire, puesto que la diferencia de tan solo unos grados puede echar a perder lo que estás horneando. Verificar regularmente el estado del horno con un termómetro ayuda a prevenir que tu horneado no salga como quieres.

Muffins

El muffin perfecto tiene la parte superior redonda, la costra es dorada, el pan es húmedo y de grano fino, el aroma es agradable y la combinación de sabores debe ser equilibrada. Congélalos para comerlos después como antojo, como un rápido tentempié, para los almuerzos de la escuela o para un bien merecido descanso.

Muffins de elotitos con queso

250g de harina preparada para pasteles
½ cucharadita de sal
315g de granos de elote, de lata, dulces, colados
60g de queso cheddar, rallado
2 cucharadas de queso parmesano, rallado
1 huevo, ligeramente batido
185ml de leche
45g de mantequilla, derretida

1. Cernir la harina y pasarla a un tazón. Mezclar los granos de elote, el queso cheddar y el queso parmesano. Hacer un pozo en el centro de los ingredientes secos.
2. En un tazón pequeño colocar el huevo, la leche y la mantequilla, batir para mezclar. Verter la mezcla de la leche en los ingredientes secos, revolver con un tenedor hasta que los ingredientes se integren un poco.
3. Verter la mezcla en 10 moldes engrasados para muffins de 250 ml de capacidad. Hornear de 20 a 30 minutos o hasta que los muffins estén cocidos al introducirles un palillo. Desmoldar en una rejilla para que se enfríen.

Rinde 10

Temperatura del horno 180°C, 350°C

Muffins clásicos de arándanos

315g de harina preparada para pasteles
1 cucharadita de polvo para hornear
90g de azúcar
2 huevos, ligeramente batidos
1 taza de suero de leche o de leche
60g de mantequilla, derretida
125g de arándanos
2 cucharadas de azúcar en cristales*

1. En un tazón cernir la harina con el polvo para hornear, añadir el azúcar y revolver bien.
2. Mezclar los huevos, la leche y la mantequilla. Agregar la mezcla del huevo y los arándanos a los ingredientes secos, revolver hasta que los ingredientes se integren un poco.
3. Verter la mezcla en 6 moldes engrasados para muffins de 250 ml de capacidad. Espolvorear el azúcar en cristales encima y hornear de 20 a 30 minutos o hasta que los muffins estén cocidos al introducirles un palillo. Desmoldar en una rejilla para que se enfríen.

Rinde 6

Nota: puedes añadir ralladura fina de naranja a la mezcla para aumentar el sabor de los arándanos.

** El azúcar en cristales son granos de azúcar de color dorado. Si no la encuentras puedes usar azúcar moscabada o demerara.*

Temperatura del horno 200°C, 400°F

Muffins de avena con frutas

180g de harina preparada para pasteles
30g de avena
75g de azúcar morena
½ taza de aceite de canola
2 huevos
125g de fruta seca surtida (duraznos, chabacanos, peras, manzanas y pasas)
1 taza de suero de leche

1. Mezclar la harina, la avena y el azúcar morena. Batir el aceite y los huevos, incorporar los ingredientes secos junto con la fruta surtida y el suero de leche. Mezclar hasta que se integren un poco, no batir en exceso.
2. Verter la mezcla en moldes para muffins ligeramente engrasados. Hornear a 190°C de 25 a 30 minutos.

Rinde 12

Temperatura del horno 190°C, 370°F

Muffins de sardinas

180g de harina preparada para pasteles
1 cucharada de té limón
1 pizca de paprika
1 huevo
60ml de aceite de canola
180ml de leche
125g de sardinas de lata en salsa de tomate, machacadas

1. En un tazón mezclar la harina, el té limón y la paprika. En otro recipiente mezclar el huevo, el aceite y la leche. Incorporar rápidamente los ingredientes secos y los líquidos, revolver ligeramente, añadir las sardinas.
2. Verter la mezcla a moldes para muffins o para galletas ligeramente engrasados. Hornear a 200°C de 12 a 14 minutos o hasta que estén dorados. Servir calientes.

Rinde 24

Temperatura del horno 200°C, 400°F

Pastelitos de atún

2 huevos
60ml de crema
1 manojo de eneldo
Pimienta negra al gusto
30g de queso Edam, rallado
185g de atún de lata, colado, desmenuzado

1. Batir los huevos y la crema, sazonar al gusto con el eneldo y la pimienta negra. Incorporar el queso y el atún.
2. Transferir la mezcla a moldes para muffins o para galletas ligeramente engrasados.
3. Hornear a 200°C de 10 a 12 minutos o hasta que los muffins estén esponjados y dorados. Servir calientes o tibios.

Rinde 12

Temperatura del horno 200°C, 400°F

Muffins de chabacanos con avena

250g de harina preparada para pasteles
1 cucharadita de polvo para hornear
45g de avena
60g de chabacanos secos, picados
60g de pasas
1 huevo, ligeramente batido
325g de suero de leche o de leche
60ml de jarabe dorado
90g de mantequilla, derretida

1. En un tazón cernir la harina y el polvo para hornear. Añadir la avena, los chabacanos y las pasas, revolver y reservar.
2. Mezclar el huevo, la leche, el jarabe y la mantequilla.
3. Añadir la mezcla a los ingredientes secos y revolver un poco. Verter la mezcla a 6 moldes engrasados para muffins de 250 ml de capacidad y hornear de 15 a 20 minutos o hasta que los muffins estén cocidos al perforarlos con un palillo. Servir calientes, tibios o fríos.

Rinde 6

Nota: *sirve estos muffins para el desayuno o el almuerzo, frescos o recién salidos del horno, ábrelos por la mitad, ponles un poco de mantequilla o un chorrito de miel.*

Temperatura del horno 180°C, 350°F

Muffins de polenta

185g de harina preparada para pasteles
170g de harina de maíz (polenta)
45g de queso parmesano, rallado
1 cucharadita de polvo para hornear
1 cucharadita de comino, molido
1 pizca de chile, en polvo
2 tazas de suero de leche o de leche, baja en grasas
2 huevos, ligeramente batidos
1 cucharada de aceite vegetal poliinsaturada

1. En un tazón colocar la harina para pasteles, la harina de maíz, el queso parmesano, el polvo para hornear, el comino y el chile en polvo, revolver para mezclar.
2. Hacer un pozo en el centro de la mezcla de la harina, añadir la leche, los huevos y el aceite, mezclar para que los ingredientes se integren un poco.
3. Verter la mezcla en 12 moldes engrasados para muffins de 90 ml de capacidad y hornear durante 30 minutos o hasta que estén cocidos al perforarlos con un palillo.

Rinde 12

Nota: *la harina de maíz (polenta) es muy popular en la cocina del norte de Italia y en la de Sudamérica. Añade una textura y sabor interesantes a los productos horneados como estos muffins. Puedes encontrarla en tiendas de comida saludable y en algunos supermercados.*

Temperatura del horno 190°C, 375°F

Muffins con chispas de chocolate

fotografía en la página opuesta

125g de mantequilla, suavizada
125g de azúcar
2 huevos, ligeramente batidos
250g de harina preparada para pasteles, cernida
30g de cocoa en polvo, cernida
155g de chispas de chocolate
45g de coco, rallado
185ml de suero de leche o de leche

1. En un tazón colocar la mantequilla y el azúcar, batir hasta que la mezcla esté ligera y esponjosa. Incorporar gradualmente los huevos.
2. Mezclar la harina con la cocoa en polvo. Añadir la mezcla de la harina, las chispas de chocolate, el coco y la leche a la mezcla de la mantequilla, revolver para que los ingredientes se integren un poco.
3. Verter la mezcla en 6 moldes para muffins engrasados de 250 ml de capacidad, hornear durante 35 minutos o hasta que los muffins estén cocidos al perforarlos con un palillo.

Rinde 6

Nota: *antes de usarlos, los moldes que no sean de teflón deben ser engrasados (y forrados con capacillos, si lo deseas). Los moldes de teflón no necesitan forrarse, pero puede ser necesario engrasarlos; sigue las instrucciones del fabricante.*

Temperatura del horno 180°C, 350°F

Muffins de manzana con queso

165g de harina integral preparada para pasteles
¼ cucharadita de canela, molida
¼ cucharadita de nuez moscada, molida
¼ cucharadita de jengibre, molido
¼ cucharadita de clavos, molidos
1 cucharadita de polvo para hornear
45g de avena
3 cucharadas de azúcar morena
1 manzana verde, pelada, rallada
125g de queso ricotta o requesón
2 cucharadas de aceite
180ml de jugo de manzana

1. En un tazón cernir la harina, la canela, la nuez moscada, el jengibre, los clavos y el polvo para hornear. Añadir la avena y el azúcar.
2. Hacer un pozo en el centro de la mezcla de la harina. Incorporar la manzana, el queso ricotta, el aceite y el jugo de manzana. Mezclar un poco. Verter la mezcla en moldes para muffins engrasados.
3. Hornear a 200°C durante 25 minutos o hasta que tomen un color dorado.

Rinde 12

Temperatura del horno 200°C, 400°F

Muffins con champiñones

250g de harina
1 cucharada de polvo para hornear
60g de champiñones frescos, picados
75g de arroz integral, cocido
60g de queso de sabor medio, rallado
1 cucharada de hojuelas de perejil
2 cucharaditas de cebollín, picado
125g de margarina, derretida
1 taza de leche
1 huevo, batido

1. En un tazón grande cernir la harina con el polvo para hornear. Incorporar los champiñones, el arroz, el queso y las hierbas.
2. Hacer un pozo en el centro de los ingredientes secos. Añadir el resto de los ingredientes. Mezclar hasta que se integren un poco (ver nota).
3. Verter la mezcla en moldes engrasados para muffins, llenar hasta ¾ de su capacidad. Hornear a 200°C durante 25 minutos. Desmoldar. Dejar enfriar en una rejilla. Servir calientes o fríos.

Rinde aproximadamente 12

Nota: no importa si no incorporas toda la harina pues esto le da la clásica textura a los muffins. Por lo general, es suficiente con batir 16 veces.

Temperatura del horno 200°C, 400°F

Muffins con plátano y chispas de chocolate

1 plátano grande, maduro
1 taza de leche
1 huevo
60g de margarina, derretida
180g de harina preparada para pasteles
125g de azúcar extrafina
125g de chispas de chocolate

1. En un tazón machacar el plátano y añadir la leche, el huevo y la margarina. Mezclar bien.
2. Incorporar la harina, el azúcar y las chispas de chocolate a la mezcla del plátano, revolver sólo para que los ingredientes se integren un poco.
3. Verter la mezcla en moldes bien engrasados para muffins. Hornear a 190°C durante 20 minutos. Servir calientes o fríos.

Rinde 12

Temperatura del horno 190°C, 370°F

Muffins con zarzamoras y especias

fotografía en la página opuesta

75g de harina integral preparada para pasteles
60g de harina preparada para pasteles
½ cucharadita de pimienta inglesa, molida
45g de azúcar morena
60g de almendras, molidas
185g de zarzamoras
1 plátano, machacado
1 taza de suero de leche o de leche
90ml de aceite vegetal
1 huevo, ligeramente batido

1. En un tazón cernir la harina integral, la harina y la pimienta inglesa. Añadir el azúcar, las almendras, las zarzamoras y el plátano, mezclar para combinar.
2. En otro tazón colocar el suero de leche, el aceite y el huevo, batir para mezclar. Incorporar la mezcla a los ingredientes secos, mezclar para que se integren un poco.
3. Verter la mezcla en 12 moldes de teflón para muffins de 125 ml de capacidad, hornear de 15 a 20 minutos o hasta que los muffins estén cocidos al perforarlos con un palillo. Desmoldar sobre una rejilla para que se enfríen.

Rinde 12

Nota: si no encuentras suero de leche puedes usar yogur natural bajo en grasas y leche baja en grasas en partes iguales.

Temperatura del horno 190°C, 375°F

Muffins de mango con avena

fotografía en la página opuesta

125g de harina preparada para pasteles
2 cucharaditas de polvo para hornear
1 cucharadita de cardamomo, molido (semillas aromáticas de sabor cítrico y dulce)
45g de avena
60g de azúcar morena
1 mango, picado
2 claras de huevo
185ml de leche, baja en grasa
60ml de aceite vegetal

1. En un tazón cernir la harina, el polvo para hornear y el cardamomo. Añadir la avena, el azúcar y el mango, revolver para mezclar.
2. En otro tazón colocar las claras de huevo, la leche y el aceite, batir para mezclar. Verter la mezcla de la leche a la mezcla de la harina, revolver para que se integren un poco.
3. Verter la mezcla en 12 moldes de teflón para muffins de 90 ml de capacidad, hornear de 15 a 20 minutos o hasta que los muffins estén cocidos al perforarlos con un palillo. Desmoldar en una rejilla para que se enfríen.

Rinde 12

Nota: puedes usar mangos de lata, colados, cuando no encuentres mangos frescos.

Temperatura del horno 190°C, 375°F

Muffins de manzana con avena

230g de harina integral preparada para pasteles
½ cucharadita de nuez moscada, molida
¼ cucharadita de polvo para hornear
30g de cereal de salvado, tostado
60g de azúcar morena
2 manzanas verdes, ralladas
2 huevos, ligeramente batidos
45g de yogur natural, bajo en grasas
1 cucharada de aceite vegetal

1 En un tazón cernir la harina, la nuez moscada y el polvo para hornear. Añadir el cereal de salvado y el azúcar, revolver.

2 Hacer un pozo en el centro de la mezcla de la harina. Añadir las manzanas, los huevos, el yogur y el aceite, mezclar para que los ingredientes se integren un poco.

3 Verter la mezcla en 12 moldes engrasados para muffins de 125 ml de capacidad y hornear durante 15 minutos o hasta que los muffins estén cocidos al perforarlos con un palillo.

Rinde 12

Nota: el secreto para hacer unos muffins deliciosos está en la mezcla –debes batirla lo menos posible–. No importa si la mezcla tiene grumos, batir de más da como resultado muffins duros.

Temperatura del horno 180°C, 350°F

Muffins de limón con semillas de amapola

2 huevos, ligeramente batidos
½ taza de crema agria
½ taza de leche
60ml de aceite de oliva
90ml de miel
3 cucharadas de semillas de amapola
1 cucharada de ralladura de limón amarillo
280g de harina preparada para pasteles, cernida

Glaseado de limón y queso crema
60g de queso crema, suavizado
1 cucharada de jugo de limón amarillo
125g de azúcar glas

Muffins

1 En un tazón colocar los huevos, la crema agria, la leche, el aceite, la miel, las semillas de amapola y la ralladura de limón, revolver bien.
2 Agregar la harina a la mezcla de las semillas de amapola y mezclar para que se integren un poco.
3 Verter la mezcla en seis moldes engrasados para muffins de 250 ml de capacidad y hornear de 25 a 30 minutos o hasta que los muffins estén cocidos al perforarlos con un palillo. Desmoldar en una rejilla para que se enfríen.

Glaseado de limón y queso crema

1 En un procesador de alimentos colocar el queso crema, el jugo de limón y el azúcar glas, procesar hasta que la mezcla esté suave. Untar los muffins con el glaseado.

Rinde 6

Nota: un glaseado sencillo es otro topping ideal para los muffins. Para prepararlo: cernir 155g de azúcar glas en un tazón, incorporar lentamente 3 cucharadas de agua tibia y unas cuantas gotas de esencia de almendras o de vainilla para obtener una consistencia ligera. Para variar el sabor, omitir las esencias y sustituir el agua por 3 cucharaditas de jugo de cualquier cítrico o de un licor al gusto.

Temperatura del horno 180°C, 350°F

Muffins de plátanos con piña

fotografía en la página opuesta

165g de harina integral preparada para pasteles
1 cucharadita de polvo para hornear
1 cucharadita de especias mixtas
4 cucharadas de azúcar morena
45g de avena
1 plátano pequeño, machacado
150g de piña de lata, machacada, colada
3 claras de huevo, ligeramente batidas
2 cucharadas de aceite
½ taza de jugo de piña

1. En un tazón cernir la harina, el polvo para hornear y las especias. Añadir el azúcar y la avena.
2. Hacer un pozo en el centro de los ingredientes secos. Mezclar el plátano, la piña, las claras de huevo, el aceite y el jugo. Incorporar a la mezcla de la harina y batir para incorporar todos los ingredientes.
3. Verter la mezcla en moldes engrasados para muffins. Hornear a 200°C de 12 a 15 minutos o hasta que tomen un color dorado.

Rinde 12

Temperatura del horno 200°C, 400°F

Muffins de naranja y arándanos

1 naranja
½ taza de jugo de naranja
125g de mantequilla, picada
1 huevo
185g de harina
170g de azúcar extrafina
1 cucharadita de bicarbonato de sodio
1 cucharadita de polvo para hornear
¼ cucharadita de sal
125g de arándanos, frescos o congelados

1. Precalentar el horno a 200°C. Quitar la cáscara de la naranja, retirar la parte blanca y cortar la cáscara en trozos pequeños. Quitar las membranas y las semillas de la pulpa de la naranja y sacar los gajos.
2. En un procesador de alimentos colocar la cáscara de la naranja y los gajos, el jugo de naranja, la mantequilla y el huevo, procesar hasta mezclar bien (la mezcla debe espesar). Pasar la mezcla a un tazón grande.
3. Cernir la harina, el azúcar, el bicarbonato de sodio, el polvo para hornear y la sal, añadir a la mezcla de la naranja y revolver ligeramente. La mezcla debe tener grumos. Incorporar los arándanos.
4. Verter la mezcla en moldes engrasados para muffins de 90 ml de capacidad a sólo ⅔ de su capacidad. Hornear de 18 a 20 minutos o hasta que estén cocidos y dorados. Enfriar sobre rejillas.

Rinde 12 a 16

Temperatura del horno 200°C, 400°F

Muffins con papas y crema agria fotografía en la página opuesta

250g de papas, machacadas
2 huevos, ligeramente batidos
1 taza de leche
185g de crema agria
60g de mantequilla, derretida
315g de harina preparada para pasteles, cernida
3 cucharadas de cebollín fresco, recortado

1. En un tazón colocar las papas. Añadir los huevos, la leche, la crema agria y la mantequilla, batir bien para mezclar.
2. Incorporar la harina con el cebollín. Agregar a la mezcla de las papas y revolver un poco. Verter la mezcla en 6 moldes engrasados para muffins de 250 ml de capacidad y hornear de 25 a 30 minutos o hasta que los muffins estén cocidos al perforarlos con un palillo. Servir calientes o fríos.

Rinde 16

Nota: *un muffin bien cocido debe subir bien, tener forma de cúpula en la parte central (sin hacer pico) y estar uniformemente dorado. También debe despegarse un poco de las paredes del molde.*

Temperatura del horno 180°C, 350°F

Muffins de queso con tocino Fotografía en la página opuesta

4 tiras de tocino, picadas
1 huevo, ligeramente batido
1 taza de leche
60ml de aceite vegetal
2 cucharadas de perejil fresco, picado
250g de harina preparada para pasteles, cernida
90g de queso cheddar, rallado

1. En una sartén colocar el tocino y freír a fuego medio, revolviendo, hasta que esté crujiente. Retirar de la sartén y escurrir sobre papel absorbente.
2. En un tazón colocar el huevo, la leche, el aceite y le perejil, revolver para mezclar. Incorporar la harina con el tocino. Añadir la mezcla de la harina y el tocino a la mezcla del huevo, revolver hasta mezclar.
3. Verter la mezcla en 12 moldes engrasados para muffins de 125 ml de capacidad y hornear de 20 a 25 minutos o hasta que los muffins estén cocidos al perforarlos con un palillo. Servir calientes o fríos.

Rinde 12

Nota: *un horno exacto es esencial para un buen horneado. Debe cerrar herméticamente y no tener fugas de aire, pues unos grados de diferencia pueden arruinar la preparación. Revisar regularmente con un termómetro para horno ayuda a evitar que la comida no se hornee bien.*

Temperatura del horno 180°C, 350°F

Muffins de manzanas con especias

200g de harina integral
1 cucharada de polvo para hornear
1 cucharadita de especias mixtas, molidas
1 pizca de sal
50g de azúcar morena clara
1 huevo mediano, batido
200ml de leche semi descremada
50g de margarina, derretida
1 manzana, pelada, sin centro, picada

1 Precalentar el horno a 200°C. Forrar una charola con 9 moldes para muffins con capacillos y reservar. En un tazón colocar la harina, el polvo para hornear, las especias mixtas y la sal, revolver bien.

2 En otro tazón mezclar el azúcar, el huevo, la leche y la margarina, incorporar suavemente a la mezcla de la harina –batir sólo para que se integren un poco–. La mezcla debe ser grumosa, los muffins quedan duros si se bate en exceso. Incorporar suavemente la manzana.

3 Repartir la mezcla entre los moldes. Hornear durante 20 minutos o hasta que suban y tomen color dorado. Acomodar en una rejilla para que se enfríen.

Rinde 9

Nota: *el problema que tienen estos muffins es que huelen tan bien cuando salen del horno que ¡seguramente se acabarán antes de que termine la hora del té! Sírvelos con una taza de té.*

Temperatura del horno 200°C, 400°F

Muffins de zanahorias con ajonjolí

- 375g de harina preparada para pasteles
- ½ cucharadita de bicarbonato de sodio
- 1 cucharadita de especias mixtas, molidas
- 90g de azúcar morena
- 1 zanahoria grande, rallada
- 4 cucharadas de semillas de ajonjolí, tostadas
- 170g de pasas sultanas
- 200g de yogur natural
- 1 taza de leche
- 3 cucharadas de mantequilla, derretida
- 3 claras de huevo, ligeramente batidas

1. En un tazón grande cernir la harina, el bicarbonato de sodio y las especias mixtas. Añadir el azúcar, la zanahoria, las semillas de ajonjolí y las sultanas, revolver para mezclar.
2. En un tazón colocar el yogur, la leche, la mantequilla y las claras de huevo, batir para combinar. Incorporar la mezcla del yogur a la mezcla del harina y revolver para que los ingredientes se integren un poco. Verter la mezcla en moldes ligeramente engrasados para muffins y hornear durante 20 minutos o hasta que estén dorados y cocidos.

Rinde 24

Nota: unos deliciosos muffins ligeros son la comida perfecta para el fin de semana. Puedes congelar los sobrantes y usarlos cuando no tengas mucho tiempo para cocinar.

Temperatura del horno 200°C, 400°F

Muffins de dátiles

250g de harina preparada para pasteles
1 cucharadita de bicarbonato de sodio
1 cucharadita de canela, molida
60g de azúcar morena
90g de mantequilla
125g de dátiles, picados
1 huevo, ligeramente batido
1 taza de suero de leche o de leche

Salsa de brandy

100g de mantequilla
45g de azúcar morena
1 cucharada de jarabe dorado
1 cucharadita de brandy (opcional)

Muffins

1. En un tazón cernir la harina, el bicarbonato de sodio y la canela. Reservar.
2. En una cacerola colocar el azúcar, la mantequilla y los dátiles, calentar a fuego lento, revolviendo constantemente, hasta que la mantequilla se derrita. Verter la mezcla de los dátiles a los ingredientes secos junto con el huevo y la leche. Mezclar para que se integren un poco.
3. Verter la mezcla en seis moldes engrasados para muffins de 250 ml de capacidad y hornear durante 30 minutos o hasta que los muffins estén cocidos al perforarlos con un palillo.

Salsa de brandy

1. En una cacerola colocar la mantequilla, el azúcar, el jarabe dorado y el brandy, calentar a fuego lento hasta que el azúcar se disuelva, revolviendo constantemente. Dejar que suelte el hervor, reducir el fuego y conservar a fuego lento durante 30 minutos o hasta que la salsa esté espesa y adquiera consistencia de jarabe. Servir con los muffins calientes.

Rinde 6

Nota: *si no hay moldes de 250 ml de capacidad usa los moldes estándar de 125 ml y hornea durante aproximadamente la mitad del tiempo recomendado y, obviamente, la cantidad de muffins será el doble. Estos muffins son un postre delicioso, aunque también son ideales para el almuerzo o como botana sin la salsa.*

Temperatura del horno 190°C, 375°F

Rebanadas

Tu familia y tus amigos estarán encantados cuando saques una charola de pastel que en realidad tenga una selección de rebanadas hechas en casa. Las recetas de este capítulo son ideales para acompañar el té de mediodía y el de la tarde, así como para el almuerzo en la escuela.

Cuadritos de macadamias con caramelo

Base

100g de chocolate blanco para derretir

125g de mantequilla

90g de azúcar glas

60g de nueces macadamia, tostadas y molidas

200g de harina

Topping

400g de leche condensada, endulzada, de lata

200g de chocolate de leche para derretir

2 huevos grandes

2 cucharadas de harina

90g de galletas escocesas de mantequilla, picadas, no molidas

200g de nueces macadamia, tostadas, picadas grueso

60g de nueces de macadamia, tostadas, extra

Base

1. Precalentar el horno a 180°C. Engrasar con mantequilla un molde cuadrado para pastel de 28 x 18 cm, forrar el molde con papel para hornear.
2. Derretir el chocolate, colocarlo en una batidora junto con la mantequilla, el azúcar glas, las nueces molidas y la harina.
3. Batir a velocidad baja hasta que todos los ingredientes estén mezclados, verter la mezcla en el molde preparado. Hornear durante 18 minutos, dejar enfriar.

Topping

1. Precalentar el horno a 160°C. En una cacerola calentar la leche condensada y el chocolate hasta que el chocolate se derrita. Agregar los huevos, la harina, los trozos de galletas y las nueces de macadamia picadas, mezclar ligeramente.
2. Verter la mezcla sobre la base, espolvorear encima las nueces de macadamia extra. Hornear a 160°C durante 40 minutos. Retirar del horno y enfriar por completo en el refrigerador antes de rebanar.

Rinde 18

Nota: *esta deliciosa creación será la favorita de grandes y chicos. Será la sensación en los días de campo y de comidas en el jardín, la consistencia de brownie hará que quieran más.*

Temperatura del horno 160°C, 325°F

Lamingtons (para microondas)

175g de mantequilla
180g de azúcar extrafina
3 huevos
180g de harina preparada para pasteles
½ cucharadita de polvo para hornear
4 cucharadas de leche

Glaseado de chocolate
465g de azúcar glas
3 cucharadas de cocoa
2 cucharadas de mantequilla
5 cucharadas de agua
180g de coco, deshidratado

Lamingtons

1. Acremar la mantequilla junto con el azúcar, añadir los huevos y batir bien. Cernir la harina con el polvo para hornear, incorporar a la mezcla alternadamente con la leche.
2. Verter a un molde para horno de microondas ligeramente engrasado de 28 x 18 cm o a un molde cuadrado de 22 cm.
3. Elevar el molde y cocer a potencia 9 o intensidad alta durante 7 minutos.
4. Dejar reposar durante 10 minutos, desmoldar y dejar enfriar por completo, recortar las orillas. Cortar en 12 trozos iguales.

Glaseado de chocolate

1. En un tazón colocar todos los ingredientes excepto el coco. Calentar a potencia 9 o intensidad alta durante 3 minutos.
2. Revolver después del primer minuto de cocción; la mezcla debe estar dura, pero al calentarla más tomará consistencia de jarabe.
3. Esparcir el coco sobre una hoja de papel. Remojar los pastelitos, uno por uno, en el glaseado, volteando rápidamente para cubrir por ambos lados, retirar con un tenedor. Escurrir el exceso de glaseado y revolcarlos en el coco.
4. El glaseado se enfría y se endurece después de remojar 3 o 4 lamingtons; devolver al horno de microondas y calentar durante 20 segundos a intensidad alta. Repetir el proceso hasta completar 12 piezas.

Rinde 12

Consejo: para glasear los pasteles rápidamente, revolcar la parte superior del pastel en el glaseado suave y girarlo un poco.

Temperatura del horno de microondas: potencia 9 (intensidad alta)

Brownies calientes con salsa de chocolate

100g de margarina suave, más extra para decorar

100g de azúcar morena oscura

1 huevo grande, batido

1 cucharada de jarabe dorado

1 cucharada de cocoa en polvo, cernida

50g de harina integral preparada para pasteles, cernida

25 nueces pecanas o de nogal, picadas

Salsa de chocolate blanco

1 cucharada de maicena

200ml de leche entera

50g de chocolate blanco, cortado en trozos pequeños

Brownies

1 Precalentar el horno a 180°C. Engrasar las paredes y la base de un molde cuadrado para pastel de 18 cm. En un tazón batir la margarina y el azúcar hasta que tomen un color pálido y la consistencia sea cremosa, incorporar el huevo, el jarabe, la cocoa en polvo y la harina, batir hasta formar una masa espesa y suave. Incorporar las nueces.

2 Verter la mezcla en un molde, emparejar la superficie y hornear de 35 a 40 minutos, hasta que suba bien y esté firme al tacto.

Salsa de chocolate blanco

1 Mientras, preparar la salsa de chocolate. Diluir la maicena con 1 cucharada de la leche. En una cacerola calentar el resto de la leche, añadir la maicena diluida y dejar que suelte el hervor a fuego lento, revolviendo conforme se espesa la mezcla. Enfriar ligeramente de 1 a 2 minutos.

2 Agregar el chocolate blanco, retirar del fuego y revolver hasta que se derrita. Cortar los brownies en 8 piezas y servir calientes con la salsa de chocolate.

__Nota:__ estos brownies saben deliciosos fríos, pero servidos recién salidos del horno, bañados en la salsa, son absolutamente maravillosos.

Temperatura del horno 180°C, 350°F

Rebanada de frutas

Base

180g de harina preparada para pasteles
2½ cucharadas de harina de maíz
60g de harina de arroz
250g de mantequilla o margarina
60g de azúcar extrafina
1 huevo

Relleno

250g de dátiles, picados
125g de pasas sultanas
125g de uvas pasa
30g de cáscaras de cítricos, cristalizadas
30g de cerezas cristalizadas
1 cucharada de mantequilla o margarina
Especias mixtas, al gusto
170g de pulpa de maracuyá de lata
1 cucharada de arrurruz (fécula extraída de varias plantas tropicales)
2 cucharadas de agua
Huevo batido y azúcar extrafina para glasear

Base

1. En un tazón cernir todas las harinas e incorporar la harina de arroz.
2. Con los dedos incorporar la mantequilla o margarina, añadir el azúcar y unir con el huevo. Presionar la mitad de la mezcla contra la base de un molde cuadrado para pastel engrasado con mantequilla.

Relleno

1. En una cacerola mezclar la fruta, la mantequilla o margarina, las especias y el maracuyá, revolver a fuego lento hasta que la mezcla espese ligeramente. Diluir el arrurruz en el agua, incorporar a la fruta y dejar cocer durante 3 minutos, revolviendo constantemente.
2. Retirar del fuego y dejar enfriar. Verter el relleno sobre la base y colocar encima el resto de la masa para la base, presionar las orillas para decorar y sellar. Barnizar con el huevo batido, espolvorear el azúcar encima y hornear a 220°C de 20 a 25 minutos. Servir caliente.

Rinde 8 – 10

Temperatura del horno 220°C, 440°F

Cuadritos de brandy con chabacanos

90g de chabacanos deshidratados, picados
2 cucharadas de brandy
100g de chocolate oscuro
4 cucharadas de margarina
3 cucharadas de leche
1 huevo
60g de azúcar extrafina
90g de harina
¼ cucharadita de polvo para hornear

Cubierta de chocolate

60g de chocolate oscuro
1 cucharada de leche
250g de azúcar glas, cernida
1 cucharada de margarina

1. Mezclar los chabacanos y el brandy, reservar durante 15 minutos. Cernir la harina. Derretir el chocolate y la margarina, incorporar la leche, el huevo, el azúcar y la harina cernida junto con el polvo para hornear. Mezclar bien. Añadir los chabacanos a la mezcla del chocolate.
2. Verter la mezcla en un molde cuadrado para pastel de 20 cm ligeramente engrasado. Hornear a 180°C de 12 a 15 minutos o hasta que esté firme. Enfriar el molde, colocar encima la cubierta de chocolate.

Cubierta de chocolate

1. Derretir el chocolate y la leche, incorporar el azúcar glas y la margarina. Mezclar bien.

Rinde 16

Temperatura del horno 180°C, 350°F

Cuadritos de chocolate con frambuesas

75g de mantequilla sin sal, más extra para engrasar

75g de chocolate, en trozos

75g de frambuesas frescas o congeladas, más extra para decorar

2 huevos medianos, separados

50g de azúcar extrafina

25g de almendras, molidas

25g de cocoa en polvo, cernida

25g de harina, azúcar glas cernida para espolvorear y menta fresca para decorar

Salsa de frambuesas

150g de frambuesas frescas o congeladas

1 cucharada de azúcar extrafina (opcional)

1 Precalentar el horno a 180°C. Engrasar las paredes y la base de un molde desmontable de 18 cm y forrar con papel para hornear. Derretir la mantequilla y el chocolate en baño María sobre una cacerola con agua hirviendo a fuego lento, revolviendo. Dejar enfriar ligeramente.

2 Presionar las frambuesas en un colador. Batir las yemas de huevo y el azúcar hasta que tomen un color pálido y tengan consistencia cremosa, añadir las almendras, la cocoa, la harina, el chocolate derretido y las frambuesas coladas.

3 Con una batidora eléctrica batir las claras hasta que formen picos suaves. Incorporar un poco a la mezcla del chocolate para suavizarla, incorporar el resto. Verter al molde y hornear durante 25 minutos o hasta que suba y esté firme. Dejar enfriar durante 1 hora.

4 Desmoldar el pastel y espolvorear el azúcar glas. Servir con la salsa, decorar con la menta y las frambuesas.

Salsa de frambuesas

1 Pasar las frambuesas por un colador, incorporar el azúcar glas.

Temperatura del horno 180°C, 350°F

Dedos de chocolate con nuez

90g de chocolate oscuro
125g de margarina
2 cucharaditas de café instantáneo, en polvo
2 huevos
180g de azúcar extrafina
½ cucharadita de vainilla
125g de harina
90g de nueces, picadas
Azúcar glas, para espolvorear

1. Derretir el chocolate y la margarina en baño María sobre agua caliente, incorporar el café en polvo y dejar enfriar un poco.
2. En un tazón mediano batir los huevos hasta que adquieran una consistencia espumosa, añadir el azúcar y la vainilla.
3. Incorporar la mezcla del chocolate a los huevos. Incorporar la harina y las nueces, mezclar hasta integrar. Verter la mezcla en un molde cuadrado ligeramente engrasado para pastel de 20 cm. Hornear a 180°C durante 25 minutos o hasta que el pastel se sienta esponjoso al tacto. Enfriar el molde. Espolvorear con el azúcar cernida y cortar en dedos para servir.

Rinde 15 aproximadamente

Temperatura del horno 180°C, 350°F

Cuadros de pasas y avena

4 cucharadas de margarina
75ml de miel
1 paquete de harina preparada para pasteles con pasas sultanas
2 huevos
30g de copos de avena

Cubierta de yogur

300g de azúcar glas, cernida
2 cucharadas de yogur de vainilla
4 cucharadas de coco, tostado, rallado

1 En una cacerola pequeña derretir la margarina y la miel. Mezclar la harina preparada para pasteles, los huevos y los copos de avena, incorporar los ingredientes derretidos con la mezcla de la harina y revolver bien.

2 Verter la mezcla en un molde cuadrado ligeramente engrasado de 20 cm. Hornear a 180°C durante 20 minutos o hasta que esté firme al tocarlo. Dejar enfriar antes de untar la cubierta de yogur, espolvorear el coco tostado. Cortar en cuadritos para servir.

Cubierta de yogur

1 Mezclar el azúcar y el yogur de vainilla, hasta que adquiera una consistencia suave.

Rinde 16 rebanadas

Trufas de pistache

315g de chocolate oscuro, en trozos
45g de mantequilla, picada
½ taza de crema, espesa
2 cucharadas de azúcar
2 cucharadas de licor Galliano
125g de pistaches, picados

1. En un recipiente resistente al fuego sobre una cacerola con agua hirviendo a fuego lento colocar el chocolate, la mantequilla, la crema y el azúcar, calentar hasta que la mezcla esté suave, revolviendo. Añadir el licor y la mitad de los pistaches, mezclar bien. Refrigerar durante 1 hora o hasta que tenga la firmeza necesaria para formar pelotas.
2. Sacar una cucharada de la mezcla y darle forma de pelota, revolcar las pelotas en el resto de los pistaches. Refrigerar hasta usarse.

Porciones 4

Consejo: para aumentar el color verde de los pistaches, pelarlos y blanquearlos en agua hirviendo durante 30 segundos, colar y frotar vigorosamente en un paño de cocina para quitar la piel.

Petits fours de caramelo y nueces

250g de azúcar
90g de azúcar morena
2 tazas de crema, espesa
1 taza de jarabe dorado
60g de mantequilla, picada
½ cucharadita de bicarbonato de sodio
155g de nueces, picadas
1 cucharada de esencia de vainilla

Glaseado de chocolate
375g de chocolate de leche u oscuro, derretido
2 cucharaditas de aceite vegetal

1. En una cacerola colocar el azúcar, el azúcar morena, la crema, el jarabe y la mantequilla, calentar a fuego lento, revolviendo constantemente, hasta que el azúcar se disuelva. A medida que se formen cristales de azúcar en las paredes de la cacerola, barnizar con una brocha mojada para repostería.
2. Dejar que el jarabe suelte el hervor e incorporar el bicarbonato de sodio. Reducir el fuego y conservar a fuego lento hasta que el jarabe tome punto de bola dura o 120°C en un termómetro de azúcar.
3. Añadir las nueces y la esencia de vainilla, verter la mezcla a un molde cuadrado de 20 cm engrasado y forrado con papel aluminio. Dejar reposar a temperatura ambiente durante 5 horas o hasta que el caramelo cuaje.
4. Sacar el caramelo del molde y cortar en cuadros de 2 cm.

Glaseado de chocolate

1. Mezclar el chocolate con el aceite. Sumergir los caramelos, hasta la mitad, en el chocolate derretido, colocar sobre papel encerado y dejar reposar.

Rinde 40

Nota: *para retirar fácilmente el caramelo del molde, dejar que el papel aluminio cuelgue hacia fuera del molde para levantarlo.*

Cuadritos de frutas surtidas

100g de margarina
125g de harina preparada para pasteles
155g de azúcar morena
90g de coco, deshidratado

Topping

250g de frutas secas, surtidas (duraznos, chabacanos, peras, manzanas y pasas)
4 cucharadas de jugo de naranja
155g de azúcar morena
6 cucharadas de margarina, derretida
60g de nueces, picadas
45g de coco, deshidratado
100g de chocolate blanco, derretido

1 Mezclar la margarina, la harina, el azúcar morena y el coco, revolver bien. Presionar la mezcla contra la base de un molde de 30 x 20 cm.

2 Hornear a 180°C durante 15 minutos. Retirar del horno y verter el topping sobre la base. Devolver al horno y cocer durante 15 minutos más. Dejar enfriar en el molde.

3 Decorar con el chocolate derretido y cortar en cuadros para servir.

Topping

1 Remojar las frutas surtidas en el jugo de naranja durante 10 minutos. Incorporar el azúcar, la margarina derretida, las nueces y el coco. Mezclar bien.

Consejo: *mantener el glaseado en un tazón tapado con un paño húmedo para evitar que se seque y que forme una costra.*

Temperatura del horno 180°C, 350°F

Baklava

250g de mantequilla sin sal, derretida
400g de almendras, blanqueadas, tostadas, molidas
1½ cucharaditas de canela
½ taza de azúcar extrafina
700g de pasta filo

Jarabe

3 tazas de azúcar extrafina
1½ tazas de agua
1 ramita de canela
1 trozo de cáscara de naranja o de limón amarillo
1 cucharada de miel

1. Derretir la mantequilla, reservar.
2. En un tazón mezclar las nueces, añadir la canela y el azúcar.
3. Con la mantequilla barnizar una charola para horno de 25 x 33 cm. Colocar 1 hoja de la pasta filo sobre el recipiente, dejando que las orillas cuelguen por los lados. Barnizar con la mantequilla derretida y añadir otra hoja de pasta. Repetir con 8 hojas más de pasta filo.
4. Espolvorear generosamente la mezcla de la nuez sobre la pasta. Continuar colocando la pasta en capas (3 hojas) y 1 capa de nueces hasta utilizar todas las nueces.
5. Terminar con 8 hojas de pasta, la hoja superior debe estar bien engrasada con mantequilla. Cortar la parte superior en tiras paralelas a lo largo.
6. Hornear a 180°C durante 30 minutos, reducir la intensidad del horno a 150°C y hornear durante 1 hora más. Verter el jarabe frio sobre el baklava y cortar siguiendo un patrón de diamante.

Jarabe

1. En una cacerola colocar los ingredientes y dejar que suelte el hervor. Reducir a fuego lento y conservar así de 10 a 15 minutos. Dejar enfriar antes de usar.

Cuadritos de dos frutas

Base

125g de galletas dulces
125g de mantequilla
125g de azúcar morena
100g de chocolate de leche, para derretir
75g de coco, deshidratado
1 cucharada de cocoa

Relleno

250g de chabacanos, deshidratados
250g de duraznos, deshidratados
1 cucharada de miel
Jugo y ralladura de dos naranjas
50ml de agua

Topping

90g de coco, rallado
75g de copos de avena
90g de mantequilla
2 cucharadas de jarabe dorado
60g de nueces de la India, saladas, tostadas, picadas

Base

1. Precalentar el horno a 180°C y engrasar con mantequilla un molde cuadrado de 20 cm.
2. Con un procesador de alimentos desmenuzar las galletas hasta que estén finamente molidas.
3. En una cacerola colocar la mantequilla, el azúcar morena y el chocolate, calentar a fuego lento revolviendo bien para evitar que se queme. Cuando la mezcla se haya derretido, añadir el coco, las galletas molidas y la cocoa, revolver bien hasta que la mezcla esté bien incorporada. Presionar contra la base del molde preparado y hornear durante 10 minutos. Enfriar.

Relleno

1. Picar la fruta seca y colocar en una cacerola junto con la miel, el jugo y la ralladura de naranja y el agua, dejar que suelte el hervor. Dejar a fuego lento durante 10 minutos, o hasta que la fruta se haya suavizado y todo el líquido se haya absorbido. Dejar enfriar, esparcir sobre la base de las galletas cocidas.

Topping

1. Mezclar el coco y los copos de avena, poner en el horno de microondas a intensidad alta durante 2 minutos, revolver bien. En otro tazón o cacerola pequeña calentar la mantequilla y el jarabe dorado hasta que burbujeen, incorporar la mezcla de la avena y las nueces de la India, mezclar bien hasta que todos los ingredientes estén húmedos.
2. Esparcir el topping sobre el relleno para cubrirlo por completo, hornear de 15 a 18 minutos más hasta que el topping esté dorado. Retirar del horno y dejar enfriar, cortar en 16 rebanadas del mismo tamaño.

Rinde 16

Nota: *uno de los mejores postres para deleitar a la familia son estos cuadritos de dos frutas –por lo general son una mezcla plana de pastel que tiene dos o tres capas de diferentes sabores y texturas–. Los cuadritos casi siempre se hacen con antelación y así permiten que el cocinero conviva igual que los invitados. La mayoría de los cuadritos son fáciles de transportar, lo cual los hace ideales para regalos, para días de campo o para llevar en las loncheras.*

Temperatura del horno 180°C, 350°F

Rebanadas de fresa con chocolate

250g de galletas de chocolate
3 cucharadas de mantequilla
1 cucharada de grenetina
60ml de agua
250g de queso crema
300ml de crema espesa
150g de malvaviscos
1 cajita de fresas

1. Forrar con papel encerado un molde para pastel de 28 x 18 cm.
2. En un procesador de alimentos colocar las galletas y procesar hasta molerlas finamente. Mezclar con la mantequilla derretida y presionar la mezcla contra la base del molde, refrigerar hasta que esté firme.
3. Diluir la grenetina en el agua caliente, dejar enfriar.
4. En el procesador de alimentos colocar el queso crema, procesar hasta que esté suave. Añadir la crema, la grenetina, los malvaviscos y la mitad de las fresas, procesar hasta que estén bien mezclados.
5. Verter el relleno sobre la base y decorar con el resto de las fresas cortadas por la mitad, refrigerar hasta que esté firme. Desmoldar el pastel y cortar en rebanadas para servir.

Rinde 12

Panforte de chocolate

1 taza de miel líquida
250g de azúcar
250g de almendras, tostadas y picadas
250g de avellanas, tostadas y picadas
125g de chabacanos cristalizados, picados
125g de duraznos cristalizados, picados
100g de cáscaras de cítricos, cristalizadas
185g de harina, cernida
45g de cocoa en polvo, cernida
2 cucharaditas de canela, molida
155g de chocolate oscuro, derretido
Papel de arroz

1. En una cacerola colocar la miel y el azúcar, calentar a fuego lento hasta que el azúcar se disuelva, revolviendo constantemente. Dejar que suelte el hervor y conservar a fuego lento, revolviendo constantemente, durante 5 minutos o hasta que la mezcla espese.
2. En un tazón colocar las almendras, las avellanas, los chabacanos, los duraznos, las cáscaras de cítricos, la harina, la cocoa y la canela, revolver para mezclar. Verter el jarabe de la miel. Añadir el chocolate y mezclar bien.
3. Forrar con papel de arroz un molde hondo de 18 x 28 cm. Verter la mezcla en el molde y hornear durante 20 minutos. Desmoldar en una rejilla para que se enfríe, cortar en rebanadas pequeñas.

Rinde 32

Nota: estas rebanadas de panforte están llenas de sabor, de almendras y avellanas tostadas y una generosa ración de chocolate.

Temperatura del horno 180°C, 350°F

Brownies de doble chocolate

250g de mantequilla, suavizada
375g de azúcar
1 cucharadita de esencia de vainilla
4 huevos, ligeramente batidos
225g de harina
½ cucharadita de polvo para hornear
185g de chocolate blanco, derretido

Relleno de queso crema

250g de queso crema, suavizado
60g de chocolate blanco, derretido
60ml de jarabe de maple
1 huevo
1 cucharada de harina

Relleno de queso crema

1. En un tazón colocar el queso crema, el chocolate, el jarabe de maple, el huevo y la harina, batir hasta que la mezcla esté suave. Reservar.

Pastelitos

2. En otro tazón colocar la mantequilla, el azúcar y la esencia de vainilla, batir hasta que la mezcla esté ligera y esponjosa. Incorporar gradualmente los huevos.
3. Cernir la harina con el polvo para hornear y añadir a la mezcla de la mantequilla. Agregar el chocolate y revolver bien.
4. Esparcir la mitad de la mezcla en la base de un molde cuadrado para pastel de 23 cm, engrasado y forrado. Colocar encima el relleno de queso crema y después el resto de la mezcla. Hornear durante 40 minutos o hasta que esté firme. Enfriar el molde, cortar en cuadritos.

Rinde 24

Nota: *estos deliciosos brownies blancos son el postre perfecto si además los bañas con chocolate derretido, blanco u oscuro, y esparces almendras fileteadas tostadas encima.*

Temperatura del horno 180°C, 350°F

Nougat con chocolate

375g de chocolate de leche, en trozos
45g de mantequilla, picada
1 taza de crema, espesa
200g de nougat (dulce parecido al turrón duro), picado
100g de almendras, tostadas, picadas

1. En un recipiente resistente al fuego sobre una cacerola con agua hirviendo a fuego lento colocar el chocolate, la mantequilla y la crema, revolver hasta que la mezcla esté suave.
2. Agregar el nougat y las almendras, mezclar bien para incorporar. Verter la mezcla en un molde poco profundo para pastel de 18 x 28 cm, engrasado y forrado. Refrigerar durante 2 horas o hasta que esté cuajado.
3. Cortar con un cortador para galletas en forma de corazón.

Rinde 40

Nota: *sumerge el cortador en agua caliente y sécalo con un paño limpio entre cada corte para que las orillas estén uniformes.*

De horneado rápido

Cocer al horno nunca ha sido tan fácil ni tan divertido como con esta selección de deliciosos pasteles. Un tazón, una batidora y unos cuantos minutos en la cocina es lo único que necesitas para inundar tu casa con la calidez y el aroma que sólo un scone o un pan de molde pueden provocar. En estas páginas hay una receta para agradar a todos tus invitados en cualquier ocasión. Así que descubre el placer de hornear en casa y ve cómo tus amigos y tu familia regresan por más.

Pan de bicarbonato fotografía en la página 54

500g de harina
1 cucharadita de bicarbonato de sodio
1 cucharadita de sal
45g de mantequilla
2 tazas de suero de leche o de leche

1. En un tazón cernir la harina, el bicarbonato de sodio y la sal. Con las manos incorporar la mantequilla hasta que la mezcla forme migajas de pan. Hacer un pozo en el centro de la mezcla de la harina, verter la leche o el suero de leche y, con un cuchillo con punta redonda, mezclar para formar una masa suave.
2. Colocar la masa en una superficie enharinada y amasar ligeramente hasta que esté suave. Dar forma redonda de 18 cm y ponerla sobre una charola enharinada para horno. Con un cuchillo filoso hacer ocho cortes poco profundos sobre la masa. Espolvorear ligeramente con harina y hornear de 35 a 40 minutos o hasta que el pan suene hueco al darle golpecitos en la base.

Porciones 8

Nota: *esta receta es ideal para cuando necesitas pan y no lo tienes. Se hace con bicarbonato de sodio y no con levadura, así que no es necesario que suba. Es mejor comerlo ligeramente caliente y es delicioso acompañado de miel o de jarabe dorado.*

Temperatura del horno 200°C, 400°F

Scones de higo fotografía en la página 55

250g de harina de trigo con polvo para hornear
1 cucharadita de polvo para hornear
1 pizca de sal
60g de margarina
30g de azúcar extrafina
100g de fresas frescas, picadas
100ml de leche semi descremada, más extra para glasear

1. Cernir todos los ingredientes secos juntos. Con las manos incorporar la mantequilla, añadir los higos y el huevo. Batir con un tenedor hasta que la mezcla forme una bola suave.
2. Colocar sobre una superficie ligeramente enharinada y extender la masa a un grosor de 1 cm, cortar en triángulos o círculos. Barnizar la parte superior con la leche, espolvorear con azúcar y canela, hornear a 200°C hasta que estén dorados, aproximadamente 15 minutos.

Rinde 3 - 4

Temperatura del horno 200°C, 400°F

Scones de fresas

250g de harina de trigo con polvo para hornear
1 cucharadita de polvo para hornear
1 pizca de sal
60g de margarina
30g de azúcar extrafina
100g de fresas frescas, picadas
100ml de leche semi descremada, más extra para glasear

1. Precalentar el horno a 220°C. En un tazón grande colocar la harina, el polvo para hornear y la sal, revolver. Incorporar la margarina con los dedos hasta que la mezcla forme migajas de pan.
2. Añadir el azúcar y las fresas, verter suficiente leche para formar una masa suave. Pasar la masa a una superficie enharinada, amasar ligeramente y extender a un grosor de 2 cm.
3. Cortar 12 círculos con un cortador de 5 cm, colocar sobre una charola para horno. Barnizar con la leche para glasear. Hornear de 8 a 10 minutos, hasta que suban y estén dorados. Colocar en una rejilla para que se enfríen.

Rinde 12

Nota: *para dar a un toque especial a estos scones clásicos añade una cucharadita de canela molida al harina al principio de la preparación. Sirve con crema fresca y fresas.*

Temperatura del horno 220°C, 425°F

Scones de manzana

- **60g de mantequilla, más extra para engrasar**
- **200g de harina preparada para pasteles**
- **1 cucharadita de polvo para hornear**
- **Sal**
- **60g de avena fina, más extra para espolvorear**
- **1 cucharadita de polvo de mostaza inglesa**
- **1 cucharadita de azúcar moscabada clara**
- **125g de queso wensleydale, cortado en cubos de 1cm**
- **1 manzana grande o 2 pequeñas, peladas, sin centro, cortadas en trozos de 5mm**
- **4-5 cucharadas de crema agria o de suero de leche, más extra para glasear**

1. Precalentar el horno a 200°C. Engrasar una lámina de papel para hornear.
2. En un tazón cernir la harina, el polvo para hornear y 1 pizca grande de sal, incorporar la avena, el polvo de mostaza y el azúcar. Con los dedos incorporar la mantequilla hasta que la mezcla forme migajas finas de pan. Incorporar el queso y las manzanas, agregar un poco de crema agria o suero de leche para unir la masa y que quede suave sin consistencia pegajosa.
3. Colocar en una superficie enharinada y extender a un grosor de 2 cm, con un cortador de 6 cm cortar 8 scones. Sin manipular demasiado la masa, amasar los recortes y extender de nuevo para cortar más scones. Colocar sobre la lámina de papel para hornear, barnizar con la crema agria o el suero de leche, espolvorear ligeramente la avena. Hornear durante 15 minutos, dejar enfriar sobre una rejilla durante unos minutos antes de servir.

Rinde 10–12

Nota: *el queso wensleydale se puede sustituir por otros quesos desmenuzables húmedos como el cheddar pyengana (australiano), el romney maduro (australiano), el grabetto (australiano) o el cheddar barry's bay (neozelandés). Estos scones son dulces y están llenos de sabor. Pruébalos con crema cuajada.*

Temperatura del horno 200°C, 400°F

Scones de calabaza

60g de mantequilla
2 cucharadas de azúcar extrafina
60g de calabaza, cocida, machacada
½ cucharadita de nuez moscada
1 huevo
½ taza de leche
360g de harina preparada para pasteles, cernida

1. Acremar la mantequilla y el azúcar, añadir la calabaza y la nuez moscada, mezclar bien.
2. Agregar el huevo, gradualmente incorporar la leche. Añadir la harina y mezclar hasta formar una masa suave.
3. Colocar en una superficie enharinada y amasar ligeramente. Aplanar con la mano hasta obtener un grosor de 2½ cm. Cortar en círculos con un cortador redondo.
4. Acomodar los scones en una charola engrasada para horno a 5 mm de distancia entre sí, glasear con la leche.
5. Hornear en el horno precalentado a 210°C de 15 a 20 minutos. Pasar a una rejilla para que se enfríen. Servir con mantequilla.

Rinde 12

Temperatura del horno 210°C, 410°F

Bollos calientes

60g de leche descremada, en polvo
1 taza de agua caliente
75g de azúcar
90g de margarina, derretida
½ x 50mg de ácido ascórbico (vitamina C) en tableta, machacada
14g de levadura seca
500g de yogur
1 cucharadita de sal
1 cucharadita de canela, molida
1 cucharadita de especias mixtas
1 cucharada de gluten en polvo
½ taza de uvas pasa y ½ de sultanas

Mezcla para la cruz
3 cucharadas de harina
3 cucharaditas de azúcar extrafina
Agua para mezclar

Glaseado
½ taza de agua
125g de azúcar granulada

1 Disolver la leche en polvo en el agua caliente. Agregar el azúcar, la margarina, el ácido ascórbico y la levadura. En un tazón grande cernir la harina, la sal, las especias y el gluten. Verter la mezcla de la levadura sobre los ingredientes secos, mezclar bien para formar una masa suave, añadir más agua si es necesario.

2 Sobre una superficie enharinada amasar durante 10 minutos o hasta que la masa esté suave.

3 En un tazón engrasado colocar la masa, cubrir con un paño de cocina y dejar reposar en un lugar caliente hasta que aumente al doble de su tamaño, aproximadamente 45 minutos. Con la masa formar 16 bollos, colocarlos en un recipiente hondo para horno, bien engrasado.

4 Dejar los bollos en un lugar caliente de 15 a 20 minutos más. Marcar una cruz en cada bollo con la mezcla para la cruz. Hornear a 230°C durante 15 minutos o hasta que los bollos suenen huecos al darles golpecitos en la parte inferior. Barnizar con el glaseado cuando estén calientes.

Mezcla para la cruz

1 Mezclar la harina y el azúcar, añadir suficiente agua para obtener una consistencia cremosa.

Glaseado

1 En una cacerola pequeña colocar el agua y el azúcar, revolver a fuego lento hasta que el azúcar se haya disuelto. Hervir a fuego lento durante 5 minutos sin revolver.

Rinde 16

Temperatura del horno 230°C, 450°F

Pan de queso azul con nueces

315g de harina preparada para pasteles, cernida
250g de queso azul, desmenuzado
1 cucharada de cebollín fresco
1 cucharadita de paprika
155g de nueces, picadas
1 taza de suero de leche o de leche
1 cucharada de aceite de nuez o aceite vegetal
60g de queso parmesano, rallado

1 En un tazón colocar la harina, el queso azul, el cebollín, la paprika y 125g de nueces, mezclar bien.

2 Hacer un pozo en el centro de la mezcla de la harina, añadir la leche y el aceite, mezclar para obtener una masa suave.

3 Colocar la masa en una superficie ligeramente enharinada y amasar hasta que esté suave. Formar una bola grande, aplanarla ligeramente y ponerla sobre una charola para horno ligeramente engrasada. Espolvorear el queso parmesano y el resto de las nueces, hornear durante 40 minutos o hasta que el pan esté cocido.

Nota: *este pan sabe delicioso servido caliente con sopa o a temperatura ambiente como parte de un plato de quesos con frutas.*

Temperatura del horno 180°C, 350°F

Pan de frambuesas

375g de harina preparada para pasteles
1½ cucharaditas de especias mixtas, molidas
1 cucharadita de polvo para hornear
1½ cucharadas de azúcar
30g de mantequilla
170ml de agua
½ taza de leche
200g de frambuesas
1 cucharada de azúcar extrafina
4 cucharaditas de leche

1 En un tazón cernir la harina, las especias mixtas y el polvo para hornear. Agregar el azúcar, con los dedos incorporar la mantequilla hasta que la mezcla tome consistencia de pan molido grueso.

2 Hacer un pozo en el centro de la mezcla de la harina y, con un cuchillo de punta redonda, incorporar el agua y la leche para formar una masa suave.

3 Colocar la masa en una superficie ligeramente enharinada y amasar ligeramente hasta que esté suave. Dividir la masa en dos porciones iguales, extender cada porción hasta formar un círculo de 18 cm.

4 Esparcir las frambuesas y el azúcar sobre la superficie de un círculo, dejando 2½ cm de margen en la orilla. Barnizar la orilla con un poco de leche y colocar el otro círculo encima. Sellar las orillas con la punta de los dedos.

5 Poner el pan sobre una charola engrasada para horno y ligeramente enharinada. Barnizar la superficie del pan con un poco de leche y hornear durante 10 minutos a 220°C. Reducir la temperatura del horno a 180°C y hornear de 20 a 25 minutos más o hasta que esté cocido.

Rinde 1

Nota: *la mantequilla absorbe fácilmente otros olores, así que cuando la guardes en el refrigerador debe estar tapada y lejos de alimentos como cebolla y pescados, de otra manera tendrás una mantequilla de olor fuerte que afectará el sabor de lo que cocines en el horno.*

Temperatura del horno 220°C, 440°F

Tarta de mantequilla

200g de mantequilla, suavizada
100g de azúcar extrafina
1 cucharadita de esencia de vainilla
280g de harina, cernida
60g de harina de arroz (arroz molido), cernida

1. En un tazón colocar la mantequilla, el azúcar y la esencia de vainilla, batir hasta que la mezcla esté ligera y esponjosa. Agregar la harina y la harina de arroz (arroz molido), batir para mezclar.
2. En una superficie ligeramente enharinada extender la masa hasta obtener un círculo de 2 cm de grosor.
3. Pellizcar las orillas o colocar la masa en un molde para pastel. Colocar sobre una charola para horno ligeramente engrasada y hornear durante 25 minutos o hasta que esté ligeramente dorada.

Rinde 1

Nota: *la tarta de mantequilla (shortbread) se originó en Escocia y se preparaba especialmente en Navidad y Hogmanay (la víspera del Año Nuevo).*

Temperatura del horno 160°C, 325°F

Pan de maíz

125g de harina, cernida
4 cucharaditas de polvo para hornear
¾ cucharaditas de sal
30g de azúcar
125g de harina de maíz amarillo
2 huevos
1 taza de leche
30g de mantequilla, derretida
Mantequilla extra, para servir

1. Cernir la harina junto con el polvo para hornear y la sal. Añadir el azúcar y la harina de maíz. Agregar los huevos, la leche y la mantequilla derretida. Batir hasta que la mezcla esté suave.
2. Colocar en un molde de 23 x 23 x 5 cm, forrado con papel para hornear, y meter al horno a 200°C de 20 a 25 minutos.
3. Desmoldar y cortar en cuadritos. Servir con mantequilla

Porciones 4

Temperatura del horno 220°C, 425°F

Mini croissants

250g de pasta hojaldrada
1 huevo, ligeramente batido con 1 cucharada de agua
60g de queso gruyere, rallado
4 espárragos frescos, blanqueados, finamente picados
¼ cucharadita de paprika
Pimienta negra recién molida

1. Para hacer el relleno, en un tazón colocar el queso, los espárragos, la paprika y la pimienta negra al gusto, revolver para mezclar.
2. Extender la pasta hojaldrada a un grosor de 30 mm y cortar en tiras de 10 cm de ancho. Cortar cada tira en triángulos con bases de 10 cm.
3. Colocar un poco del relleno sobre la base de cada triángulo, enrollar desde la base hacia arriba y darle forma de croissant. Barnizar con la mezcla del huevo.
4. Colocar los croissants en charolas engrasadas para hornear y meter al horno de 12 a 15 minutos o hasta que estén esponjados y dorados. Servir calientes o fríos.

Croissants de jamón y queso

1. En una sartén derretir 15 g de mantequilla, añadir 100 g de jamón finamente picado y 2 cebollas de cambray finamente picadas, freír a fuego medio de 3 a 4 minutos o hasta que las cebollas estén suaves. Retirar del fuego, añadir 2 cucharaditas de perejil finamente picado y pimienta negra al gusto. Enfriar. Armar, espolvorear 45 g de queso cheddar rallado sobre el relleno y hornear como se indicó anteriormente.

Croissants de chocolate

1. Rellenar los triángulos con 45 g de chocolate de leche u oscuro rallado. Armar y hornear como se indicó anteriormente.

Rinde 12

Nota: *la pasta hojaldrada siempre da excelentes resultados y más aún con estos mini croissants. El secreto de esta delicia está en la forma. Sigue las instrucciones paso a paso para preparar los croissants más ricos y rápidos de hacer.*

Pan de hierbas con queso

250g de harina preparada para pasteles, cernida
1 cucharadita de sal
1 cucharadita de caldo de pollo, en polvo
2 cucharadas de romero fresco, picado o 1 cucharadita de romero seco
2 cucharadas de eneldo fresco, picado
2 cucharadas de cebollín fresco, picado
2 cucharadas de salvia fresca, picada o 1 cucharadita de salvia seca
185g de queso cheddar, rallado
1 huevo, ligeramente batido
155ml de leche
30g de mantequilla, derretida

1. En un procesador de alimentos mezclar la harina, la sal, el caldo de pollo en polvo, el romero, el eneldo, el cebollín, la salvia y 125 g del queso.
2. Mezclar el huevo, la leche y la mantequilla. Agregar la mezcla del huevo a los ingredientes secos, revolver.
3. Verter la mezcla en un molde para pan de 11 x 21 cm, engrasado y forrado, espolvorear encima el resto del queso y hornear durante 45 minutos o hasta que esté cocido al encajarle un palillo. Desmoldar y colocar en una rejilla para que se enfríe.

Rinde una hogaza de 11 x 21 cm

Nota: *en otra ocasión combina los sabores del tomillo, las hojas de laurel y las semillas de hinojo con el romero y la salvia para preparar una hogaza llena del sabor de las clásicas hierbas provenzales.*

Temperatura del horno 190°C, 370°F

Scones

250g de harina preparada para pasteles
1 cucharadita de polvo para hornear
2 cucharadas de azúcar
45g de mantequilla
1 huevo
½ taza de leche

1. En un tazón grande cernir la harina con el polvo para hornear. Añadir el azúcar, con los dedos incorporar la mantequilla hasta que tenga consistencia de pan molido grueso.
2. Batir el huevo y la leche. Hacer un pozo en el centro de la mezcla de la harina, verter la mezcla del huevo y revolver para obtener una masa suave. Colocar en una superficie ligeramente enharinada y amasar un poco.
3. Extender la masa con las palmas de las manos hasta darle un grosor de 2 cm. Con un cortador de 5 cm enharinado cortar los scones. Evitar girar el cortador porque los scones pueden subir disparejo.
4. Acomodar los scones en una charola engrasada y ligeramente enharinada o en un molde redondo poco profundo para pastel de 20 cm. Barnizar con un poco de leche y hornear de 12 a 15 minutos o hasta que estén dorados.

Rinde 12

Nota: *para engrasar y enharinar un molde para pastel o una charola para horno, barnizar ligeramente con mantequilla o margarina derretida, espolvorear la harina y agitar para cubrir de manera uniforme. Voltear sobre una superficie de trabajo y dar golpecitos ligeros para retirar el exceso de harina.*

Temperatura del horno 220°C, 425°C

Scones de papa

250g de harina
1 cucharadita de polvo para hornear
½ cucharadita de sal
125g de margarina
1 huevo, batido
50ml de leche
125g de papas, finamente machacadas, frías
3 chalotes, finamente picados
Pimienta negra, molida
Harina, para amasar
Mantequilla, para untar

1. Cernir la harina, el polvo para hornear y la sal, con las manos incorporar la margarina. Batir los huevos y la leche, añadir a la mezcla de la harina para obtener una masa firme.
2. Agregar las papas, los chalotes y el pimiento. Revolver ligeramente. Colocar en una superficie enharinada o sobre una lámina de papel encerado, amasar y extender para obtener un grosor de 1 cm. Cortar en círculos y hornear a 230°C durante 15 minutos. Abrir por la mitad antes de que se enfríen y untar mantequilla para servir.

Rinde 6-8

Temperatura del horno 230°C, 450°F

Scones de queso y cebolla

500g de harina preparada para pasteles
1 cucharadita de sal
¼ cucharadita de pimienta de Cayena
60g de margarina o mantequilla
100g de queso, rallado
1 cucharada de perejil, finamente picado
1 cucharada de cebolla, finamente picada
1 huevo, batido
1½ tazas de leche

1. Cernir la harina con la sal y la pimienta de Cayena. Con las manos incorporar la margarina o la mantequilla al harina. Añadir el queso, el perejil y la cebolla, mezclar bien.
2. Hacer un pozo en el centro y agregar el huevo batido y la leche al mismo tiempo, mezclar rápidamente para obtener una masa suave. Colocar en una superficie enharinada y amasar lo necesario para formar una superficie suave.
3. Extender hasta dar un grosor de 1 cm y cortar en círculos. Acomodar sobre una charola enharinada, glasear la parte superior de los scones con leche o huevo batido con leche. Hornear a 230°C de 10 a 15 minutos o hasta que los scones estén dorados.

Rinde 6

Temperatura del horno 230°C, 450°F

Scones de hierbas frescas y avena

185g de harina preparada para pasteles, cernida
45g de avena instantánea
½ cucharadita de polvo para hornear
30g de margarina
2 cucharaditas de perejil fresco, picado
2 cucharaditas de albahaca fresca, picada
2 cucharaditas de romero fresco, picado
190ml de leche descremada

1. En un tazón colocar la harina, la avena y el polvo para hornear. Con los dedos incorporar la mantequilla hasta que la mezcla tenga consistencia de pan molido fino. Añadir el perejil, la albahaca y el romero.
2. Hacer un pozo en el centro de la mezcla, verter la leche. Con un cuchillo mezclar ligeramente hasta que todos los ingredientes se incorporen un poco. Pasar la mezcla a una superficie ligeramente enharinada y amasar un poco.
3. Extender la masa hasta darle un grosor uniforme de 2 cm. Con un cortador enharinado de 5 cm cortar en círculos. Acomodar los scones, uno junto al otro, en un molde redondo, poco profundo, para pastel de 18 cm, ligeramente engrasado. Barnizar la parte superior con un poco de leche extra y hornear a 220°C de 15 a 20 cm o hasta que los scones estén dorados.

Rinde 9

Nota: *puedes hacer estos deliciosos scones con antelación. Congélalos y recaliéntalos justo antes de servir.*

Temperatura del horno 220°C, 440°F

Pan de queso con tocino

3 cucharadas de margarina o mantequilla
310g de harina preparada para pasteles
2 cucharaditas de hojuelas de perejil
1 cucharadita de cebollín, picado
125g de queso cheddar, rallado
2 tiras de tocino, finamente picadas
1 huevo
185ml de leche

1. Mezclar la margarina o la mantequilla en la harina hasta que tome consistencia de pan molido grueso.
2. Incorporar el perejil, el cebollín, el queso y el tocino, mezclar bien.
3. Revolver el huevo y la leche, agregar a los ingredientes secos y mezclar hasta obtener una masa suave.
4. Colocar la masa en una superficie ligeramente enharinada y amasar ligeramente.
5. Darle forma de bollo, cortar una cruz profunda en el centro y colocar sobre una lámina de papel para hornear sobre una charola para horno.
6. Hornear a 200°C durante 30 minutos o hasta que suene hueco al darle golpecitos en la parte inferior.
7. Servir caliente con mantequilla o cortado en trozos pequeños como parte de un bufé.

Porciones 6 – 8

Temperatura del horno 200°C, 400°F

Pan de aceitunas

125g de mantequilla, suavizada
60g de azúcar
1 huevo
470g de harina integral preparada para pasteles
185g de harina
1½ cucharaditas de bicarbonato de sodio
1½ cucharaditas de suero de leche o leche
125g de aceitunas negras, picadas
2 cucharaditas de semillas de hinojo
1 cucharadita de sal de mar, gruesa

1 En un procesador de alimentos colocar la mantequilla, el azúcar y el huevo, procesar hasta que la mezcla esté suave. Añadir la harina integral, la harina, el bicarbonato de sodio y la leche, procesar hasta formar una masa suave.

2 Colocar la masa en una superficie ligeramente enharinada, amasar e incorporar las aceitunas. Dar forma redonda de 20 cm y acomodar en una charola ligeramente engrasada y enharinada. Con un cuchillo filoso cortar una cruz en la parte superior. Espolvorear las semillas de hinojo y la sal, hornear durante 45 minutos o hasta que esté cocido.

Rinde 1 hogaza redonda de 20 cm

Nota: el pan irlandés de bicarbonato aumenta su delicioso sabor gracias al toque mediterráneo del eneldo y las aceitunas. Puedes usar cualquier tipo de aceitunas en conserva.

Temperatura del horno 200°C, 400F°

Pan de albahaca con cerveza

375g de harina preparada para pasteles, cernida
60g de azúcar
6 cucharadas de albahaca fresca, picada
1 cucharadita de granos de pimienta, machacados
1½ tazas de cerveza, a temperatura ambiente

1 En un tazón colocar la harina, el azúcar, la albahaca, los granos de pimienta y la cerveza, mezclar para obtener una masa suave.

2 Colocar la masa en un molde para pastel de 11 x 21 cm, engrasado y forrado, y hornear durante 50 minutos o hasta que el pan esté cocido al perforarlo con un palillo.

3 Dejar reposar el pan en el molde durante 5 minutos antes de desmoldarlo y dejarlo en una rejilla para que se enfríe. Servir caliente o frío.

Rinde una hogaza de 11 x 21 cm

Nota: es un pan delicioso al que se le puede untar pasta de aceitunas y tomates deshidratados. Puedes usar cualquier tipo de cerveza, experimenta con oscuras y claras o cerveza de malta para tener diferentes resultados.

Temperatura del horno 160°C, 325°F

Glosario

A la diabla: platillo o salsa ligeramente sazonado con un ingrediente picante como mostaza, salsa inglesa o pimienta de Cayena.

Aceite de ajonjolí tostado (también llamado aceite de ajonjolí oriental): aceite oscuro poliinsaturado con punto de ebullición bajo. No debe reemplazarse por aceite más claro.

Aceite de cártamo: aceite vegetal que contiene la mayor proporción de grasas poliinsaturadas.

Aceite de oliva: diferentes grados de aceite extraído de las aceitunas. El aceite de oliva extra virgen tiene un fuerte sabor afrutado y el menor grado de acidez. El aceite de oliva virgen es un poco más ácido y con un sabor más ligero. El aceite de oliva puro es una mezcla procesada de aceites de oliva, tiene el mayor grado de acidez y el sabor más ligero.

Acremar: hacer suave y cremoso al frotar con el dorso de una cuchara o al batir con una batidora. Por lo general se aplica a la grasa y al azúcar.

Agua acidulada: agua con un ácido añadido, como jugo de limón o vinagre, que evita la decoloración de los ingredientes, en particular de la fruta o las verduras. La proporción de ácido con agua es 1 cucharadita por cada 300ml.

Al dente: término italiano para cocinar que se refiere a los ingredientes cocinados hasta que estén suaves, pero firmes al morderlos, por lo general se aplica para la pasta.

Al gratín: alimentos espolvoreados con pan molido, por lo general cubiertos de una salsa de queso y dorados hasta que se forma una capa crujiente.

Amasar: trabajar la masa usando las manos, aplicando presión con palma de la mano, y estirándola y doblándola.

Américaine: método para servir pescados y mariscos, por lo general langostas y rapes, en una salsa de aceite de oliva, hierbas aromáticas, jitomates, vino tinto, caldo de pescado, brandy y estragón.

Anglaise: estilo de cocinar que se refiere a platillos cocidos simples, como verduras hervidas.

Antipasto: término italiano que significa 'antes de la comida', se refiere a una selección de carnes frías, verduras, quesos, por lo general marinados, que se sirven como entremés. Un antipasto típico incluye salami, prosciutto, corazones de alcachofa marinados, filetes de anchoas, aceitunas, atún y queso provolone.

Bañar: humedecer la comida durante la cocción vertiendo o barnizando líquido o grasa.

Baño María: una cacerola dentro de una sartén grande llena de agua hirviendo para mantener los líquidos en punto de ebullición.

Batir: agitar vigorosamente. Revolver rápidamente para incorporar aire y provocar que el ingrediente se expanda.

Beurre manié: cantidades iguales de mantequilla y harina amasadas y añadidas, poco a poco, para espesar un caldo.

Blanc: líquido que se hace al añadir harina y jugo de limón al agua para evitar que ciertos alimentos se decoloren durante la cocción.

Blanquear: sumergir en agua hirviendo y después, en algunos casos, en agua fría. Las frutas y las nueces se blanquean para quitarles la piel con mayor facilidad.

Blanquette: estofado blanco de cordero, ternera o pollo cubiertos de yemas de huevo y crema, acompañado de cebolla y champiñones.

Bonne femme: platos cocinados al tradicional estilo francés 'ama de casa'. El pollo y el cerdo bonne femme se acompañan de tocino, papas y cebollas baby; el pescado bonne femme con champiñones en una salsa de vino blanco.

Bouquet garni: un conjunto de hierbas, por lo general de ramitas de perejil, tomillo, mejorana, romero, una hoja de laurel, granos de pimienta y clavo en un pequeño saco que se utiliza para dar sabor a estofados y caldos.

Brasear: cocer piezas enteras o grandes de aves, animales de caza, pescados, carnes o verduras en una pequeña cantidad de vino, caldo u otro líquido en una cacerola cerrada. El ingrediente principal se fríe primero en grasa y se cuece al horno o sobre la estufa. Esta técnica es ideal para carnes duras y aves maduras, produce una rica salsa.

Caldo: líquido que resulta de cocer carne, huesos y/o verduras en agua para hacer una base para sopas y otras recetas. Se puede sustituir el caldo fresco por caldo en cubitos, aunque es necesario verificar el contenido de sal para las dietas reducidas en sodio.

Calzone: paquetito semicircular de masa para pizza relleno de carne o verduras, sellado y horneado.

Caramelizar: derretir el azúcar hasta que forme un jarabe dorado-café.

Carne magra: la grasa y los cartílagos son retirados de la carne de un hueso y la carne queda virtualmente sin grasa.

Cernir: pasar una sustancia seca en polvo por un colador para retirar grumos y que sea más ligera.

Chasseur: término francés que significa 'cazador'. Es un estilo de platillo en el que se cuecen carnes y pollos con champiñones, cebollas de cambray, vino blanco y jitomate.

Concasser: picar grueso, por lo general se refiere a jitomates.

Confitar: significa preservar, alimentos en conserva al cocerlos de manera muy lenta hasta que estén tiernos. En el caso de la carne, como la carne de pato o de ganso, se cuece en su propia grasa para que la carne no entre en contacto con el aire. Algunas verduras como la cebolla se hacen confitadas.

Consomé: sopa ligera hecha, por lo general, de res.

Couli: puré ligero hecho de frutas o verduras frescas o cocidas, con la consistencia suficiente para ser vertido. Su consistencia puede ser rugosa o muy suave.

Crepa: mezcla dulce o salada con forma de disco plano.

Croutones: pequeños cubos de pan tostados o fritos.

Crudités: verduras crudas cortadas en rebanadas o tiras para comer solas o con salsa, o verduras ralladas como ensalada con un aderezo sencillo.

Cuajar: hacer que la leche o una salsa se separe en sólido y líquido, por ejemplo, mezclas de huevo sobrecocidas.

Cubrir: forrar con una ligera capa de harina, azúcar, nueces, migajas, semillas de ajonjolí o de amapola, azúcar con canela o especias molidas.

Cuscús: cereal procesado a partir de la sémola, tradicionalmente se hierve y se sirve con carne y verduras. Es el típico platillo del norte de África.

Decorar: adornar la comida, por lo general se usa algo comestible.

Derretir: calentar hasta convertir en líquido.

Desglasar: disolver el jugo de cocción solidificado en la sartén al añadirle líquido, raspar y mover vigorosamente mientras el líquido suelta el hervor. Los jugos de cocción se pueden usar para hacer gravy o para añadirse a la salsa.

Desgrasar: retirar la grasa de la superficie de un líquido. Si es posible, el líquido debe estar frío para que la grasa esté sólida. En caso contrario, retirar la grasa con una cuchara grande de metal y pasar un pedazo de papel absorbente por la superficie del líquido para retirar los restos.

Desmenuzar: separar en pequeños trocitos con un tenedor.

Despiezar: cortar las aves, animales de caza o animales pequeños en piezas divididas en los puntos de las articulaciones.

Disolver: mezclar un ingrediente seco con líquido hasta que se absorba.

Emulsión: mezcla de dos líquidos que juntos son indisolubles, como el agua y el aceite.

En cubos: cortar en piezas con seis lados iguales.

Engrasar: frotar o barnizar ligeramente con aceite o grasa.

Enjuagar: remojar en un líquido templado o frío para suavizar la comida y eliminar los sabores fuertes o las impurezas

Ensalada mixta: guarnición de verduras, por lo general zanahorias, cebollas, lechuga y jitomate.

Entrada: en Europa significa aperitivo, en Estados Unidos significa plato principal.

Escaldar: llevar justo al punto de ebullición, por lo general se usa para la leche. También significa enjuagar en agua hirviendo.

Espesar: hacer que un líquido sea más espeso al mezclar arrurruz, maicena o harina en la misma cantidad de agua fría y verterla al líquido caliente, cocer y revolver hasta que espese.

Espolvorear: esparcir o cubrir ligeramente con harina o azúcar glas.

Espumar: retirar una superficie (por lo general, de impurezas) de un líquido, usando una cuchara o pala pequeña.

Fenogreco: pequeña hierba anual de la familia del chícharo. Sus semillas se usan para sazonar. El fenogreco molido tiene un fuerte sabor dulce, como a maple, picante y amargo, su aroma es de azúcar quemada.

Fibra dietética: parte de algunos alimentos que el cuerpo humano no digiere o lo hace parcialmente y que promueve la sana digestión de otras materias alimenticias.

Filete: corte especial de la res, cordero, cerdo, ternera, pechuga de aves, pescado sin espinas cortado a lo largo.

Fileteado: rebanado en trozos largos y delgados, se refiere a las nueces, en especial a las almendras.

Flamear: prender fuego al alcohol sobre la comida.

Fondo: líquido en el que el pescado, las aves o la carne es cocido. Consiste en agua con hojas de laurel, cebolla, zanahoria, sal y pimienta negra recién molida. Entre otros ingredientes se incluyen vino, vinagre, caldo, ajo o cebollas de cambray.

Forrar: cubrir el interior de un recipiente con papel para proteger o facilitar el desmolde.

Freír revolviendo: cocer rebanadas delgadas de carne y verduras a fuego alto con una pequeña cantidad de aceite, sin dejar de revolver. Tradicionalmente se cuece en un wok, aunque se puede usar una sartén de base gruesa.

Freír: cocer en una pequeña cantidad de grasa hasta que dore.

Fricassée: platillo que incluye aves, pescado o verduras con salsa blanca o *veloute*. En Gran Bretaña y Estados Unidos, el nombre se aplica a un antiguo platillo de pollo en una salsa cremosa.

Frotar: método para incorporar grasa con harina, usando sólo las puntas de los dedos. También incorpora aire a la mezcla.

Galangal: miembro de la familia del jengibre conocido popularmente como jengibre de Laos. Tiene un ligero sabor a pimienta con matices de jengibre.

Ganache: relleno o glasé hecho de crema entera, chocolate y/u otros sabores que se usa para cubrir las capas de algunos pasteles de chocolate.

Glaseado: cubierta delgada de huevo batido, jarabe o gelatina que se barniza sobre galletas, frutas o carnes cocidas.

Gluten: proteína de la harina que se desarrolla al amasar la pasta y la hace elástica.

Grasa poliinsaturada: uno de los tres tipos de grasas que se encuentran en la comida. Se encuentra en grandes cantidades en aceites vegetales como el aceite de cártamo, de girasol, de maíz y de soya. Este tipo de grasa disminuye el nivel de colesterol en la sangre.

Grasa total: ingesta diaria individual de los tres tipos de grasa antes descritos. Los nutriólogos recomiendan que la grasa aporte no más del 35 por ciento de la energía diaria de la dieta.

Grasas monoinsaturadas: uno de los tres tipos de grasas que se encuentran en los alimentos. Se cree que este tipo de grasas no eleva el nivel de colesterol en la sangre.

Grasas saturadas: uno de los tres tipos que encontramos en los alimentos. Existen en grandes cantidades en productos animales, en aceites de coco y palma. Aumentan los niveles de colesterol en la sangre. Puesto que los niveles altos de colesterol causan enfermedades cardiacas, el consumo de grasas saturadas debe ser menor al 15 por ciento de la ingesta diaria de calorías.

Gratinar: platillo cocido al horno o bajo la parrilla de manera que desarrolla una costra color café. Se hace espolvoreando queso o pan molido sobre el platillo antes de hornear. La costra gratinada queda muy crujiente.

Harina sazonada: harina a la que se añade sal y pimienta.

Hervir a fuego lento: cocer suavemente la comida en líquido que burbujea de manera uniforme justo antes del punto de ebullición para que se cueza parejo y que no se rompa.

Hojas de vid o de parra: hojas tiernas, con sabor ligero, que se usan para envolver mezclas. Las hojas deben lavarse bien antes de usarse.

Humedecer: devolver la humedad a los alimentos deshidratados al remojarlos en líquido.

Incorporar ligeramente: combinar moderadamente una mezcla delicada con una mezcla más sólida, se usa una cuchara de metal.

Infusionar: sumergir hierbas, especias u otros saborizantes en líquidos calientes para darle sabor. El proceso tarda de 2 a 5 minutos, dependiendo del sabor. El líquido debe estar muy caliente sin que llegue a hervir.

Juliana: cortar las verduras en tiras del tamaño de un cerillo.

Laqueado: azúcar caramelizada desglasada con vinagre que se usa en las salsas de múltiples sabores para platillos como pato a la naranja.

Macerar: remojar alimentos en líquido para ablandarlos.

Mantequilla clarificada por ebullición (o ghi): proceso que consiste en separar la mantequilla (sólido y líquido) al hervirla.

Mantequilla clarificada: derretir la mantequilla y separar el aceite del sedimento.

Marcar: hacer cortes superficiales en la comida para evitar que se curve o para hacerla más atractiva.

Marinada: líquido sazonado, por lo general es una mezcla aceitosa y ácida, en el que se remojan los alimentos para suavizarlos y darles más sabor.

Marinar: dejar reposar los alimentos en una marinada para sazonarlos y suavizarlos.

Marinara: estilo 'marinero' italiano de cocinar que no se refiere a ninguna combinación especial de ingredientes. La salsa marinara de jitomate para pasta es la más común.

Mariposa: corte horizontal en un alimento de manera que, al abrirlo, queda en forma de alas de mariposa. Los filetes, los langostinos y los pescados gruesos por lo general se cortan en mariposa para que se cuezan más rápido.

Mechar: introducir. Por ejemplo, introducir clavos al jamón horneado.

Mezclar: combinar los ingredientes al revolverlos.

Molde: pequeño recipiente individual para hornear de forma oval o redonda.

Nicoise: clásica ensalada francesa que consiste en jitomates, ajo, aceitunas negras, anchoas, atún y judías.

Noisette: pequeña 'nuez' de cordero cortada del lomo o costillar que se enrolla y se corta en rebanadas. También significa dar sabor con avellanas o mantequilla cocida hasta que obtenga un color café avellana.

Normande: estilo para cocinar pescado con acompañamiento de camarones, mejillones y champiñones en vino blanco o salsa cremosa; para aves y carnes con una salsa con crema, brandy calvados y manzana.

Pan naan: pan ligeramente fermentado que se utiliza en la cocina india.

Panada: es un aglutinante hecho con pan, harina o arroz. Proviene del término francés "panade" que significa "puré de pan".

Papillote: cocer la comida en papel encerado o papel de aluminio barnizado con grasa o mantequilla. También se refiere a la decoración que se coloca para cubrir los extremos de las patas de las aves.

Paté: pasta hecha de carne o mariscos que se usa para untar sobre pan tostado o galletas.

Paupiette: rebanada delgada de carne, aves o pescado untada con un relleno y enrollada. En Estados Unidos se le llama 'bird' y en Gran Bretaña 'olive'.

Pelar: quitar la cubierta exterior.

Picar fino: cortar en trozos muy pequeños.

Pochar: hervir ligeramente en suficiente líquido caliente para que cubra al alimento, con cuidado de mantener su forma.

Puré: pasta suave de verduras o frutas que se hace al pasar los alimentos por un colador, licuarlos o procesarlos.

Quemar las plumas: flamear rápidamente las aves para eliminar los restos de las plumas después de desplumar.

Rábano daikon: rábano japonés que es blanco y largo.

Ragú: tradicionalmente, cocido sazonado que contiene carne, verduras y vino. Hoy en día se aplica el término a cualquier mezcla cocida.

Ralladura: delgada capa exterior de los cítricos que contiene el aceite cítrico. Se obtiene con un pelador de verduras o un rallador para separarla de la cubierta blanca debajo de la cáscara.

Reducir: cocer a fuego muy alto, sin tapar, hasta que el líquido se reduce por evaporación.

Refrescar: enfriar rápidamente los alimentos calientes, ya sea bajo el chorro de agua fría o al sumergirlos en agua con hielo, para evitar que sigan cociéndose. Se usa para verduras y algunas veces para bivalvos.

Revolcar: cubrir con un ingrediente seco, como harina o azúcar.

Revolver: mezclar ligeramente los ingredientes usando dos tenedores o un tenedor y una cuchara.

Rociar: verter con un chorro fino sobre una superficie.

Roulade: masa o trozo de carne, por lo general de cerdo o ternera, relleno, enrollado y braseado o pochado.

Roux: para integrar salsas y se hace de harina con mantequilla o alguna otra sustancia grasosa, a la que se añade un líquido caliente. Una salsa con base de roux puede ser blanca, rubia o dorada, depende de la cocción de la mantequilla.

Salsa: jugo derivado de la cocción del ingrediente principal, o salsa añadida a un platillo para aumentar su sabor. En Italia el término suele referirse a las salsas para pasta.

Saltear: cocer o dorar en pequeñas cantidades de grasa caliente.

Sancochar: hervir o hervir a fuego lento hasta que se cueza parcialmente (más cocido que al blanquear).

Sartén de base gruesa: cacerola pesada con tapa hecha de hierro fundido o cerámica.

Sartén de teflón: sartén cuya superficie no reacciona químicamente ante la comida, puede ser de acero inoxidable, vidrio y de otras aleaciones.

Sellar: dorar rápidamente la superficie a fuego alto.

Souse: cubrir la comida, en especial el pescado, con vinagre de vino y especias y cocer lentamente, la comida se enfría en el mismo líquido.

Sudar: cocer alimentos rebanados o picados, por lo general verduras, en un poco de grasa y nada de líquido a fuego muy lento. Se cubren con papel aluminio para que la comida se cueza en sus propios jugos antes de añadirla a otros ingredientes.

Suero de leche: cultivo lácteo de sabor penetrante, su ligera acidez lo hace una base ideal para marinadas para aves.

Sugo: salsa italiana hecha del líquido o jugo extraído de la fruta o carne durante la cocción.

Timbal: mezcla cremosa de verduras o carne horneada en un molde. También se refiere a un platillo horneado en forma de tambor de la cocina francesa.

Trigo bulgur: tipo de trigo en el que los granos se cuecen al vapor y se secan antes de ser machacados.

Verduras crucíferas: ciertos miembros de la familia de la mostaza, la col y el nabo con flores cruciformes y fuertes aromas y sabores.

Vinagre balsámico: vinagre dulce, extremadamente aromático, con base de vino que se elabora en el norte de Italia. Tradicionalmente, el vinagre se añeja durante 7 años, por lo menos, en barriles de diferentes tipos de madera.

Vinagre de arroz: vinagre aromático que es menos dulce que el vinagre de sidra y no tan fuerte como el vinagre de malta destilado. El vinagre de arroz japonés es más suave que el chino.

Pesos y medidas

Cocinar no es una ciencia exacta, no son necesarias básculas calibradas, ni tubos de ensayo, ni equipo científico para cocinar, aunque la conversión de las medidas métricas en algunos países y sus interpretaciones pueden intimidar a cualquier buen cocinero.

En las recetas se dan los pesos para ingredientes como carnes, pescados, aves y algunas verduras, pero en la cocina convencional, unos gramos u onzas de más o de menos no afectan el éxito de tus platillos.

Aunque las recetas se probaron con el estándar australiano de 1 taza/250ml, 1 cucharada/20ml y 1 cucharadita/5ml, funcionan correctamente para las medidas de Estados Unidos y Canadá de 1 taza/8fl oz, o del Reino Unido de 1 taza/300ml. Preferimos utilizar medidas de tazas graduadas y no de cucharadas para que las proporciones sean siempre las mismas. Donde se indican medidas en cucharadas, no son medidas exactas, de manera que si usas la cucharada más pequeña de EU o del Reino Unido el sabor de la receta no cambia. Por lo menos estamos todos de acuerdo en el tamaño de la cucharadita.

En el caso de panes, pasteles y galletas, la única área en la que puede haber confusión es cuando se usan huevos, puesto que las proporciones varían. Si tienes una taza medidora de 250ml o de 300ml, utiliza huevos grandes (65g/2¼ oz) y añade un poco más de líquido a la receta para las medidas de tazas de 300ml si crees que es necesario. Utiliza huevos medianos (55g/2oz) con una taza de 8fl oz. Se recomienda usar tazas y cucharas graduadas, las tazas en particular para medir ingredientes secos. No olvides nivelar estos ingredientes para que la cantidad sea exacta.

Medidas inglesas

Todas las medidas son similares a las australianas, pero hay dos excepciones: la taza inglesa mide 300ml/10½ fl oz, mientras que las tazas americana y australiana miden 250ml/8¾ fl oz. La cucharada inglesa mide 14.8ml/½ fl oz y la australiana mide 20ml/¾ fl oz. La medida imperial es de 20fl oz para una pinta, 40fl oz para un cuarto y 160fl oz para un galón.

Medidas americanas

La pinta americana es de 16fl oz, un cuarto mide 32fl oz y un galón americano es de 128fl oz; la cucharada americana es igual a 14.8ml/½ fl oz, la cucharadita mide 5ml/⅙ fl oz. La medida de la taza es de 250ml/8¾ fl oz.

Medidas secas

Todas las medidas son niveladas, así que cuando llenes una taza o cuchara nivélala con la orilla de un cuchillo. La siguiente escala es el equivalente para cocinar, no es una conversión exacta del sistema métrico al imperial. Para calcular el equivalente exacto multiplica las onzas por 28.349523 para obtener gramos, o divide 28.349523 para obtener onzas.

Métrico gramos (g), kilogramos (kg)	Imperial onzas (oz), libras (lb)
15g	½oz
20g	⅓oz
30g	1oz
55g	2oz
85g	3oz
115g	4oz/¼ lb
125g	4½oz
140/145g	5oz
170g	6oz
200g	7oz
225g	8oz/½ lb
315g	11oz
340g	12oz/¾ lb
370g	13oz
400g	14oz
425g	15oz
455g	16oz/1 lb
1 000g/1 kg	35.3oz/2.2 lb
1.5 kg	3.33 lb

Temperaturas del horno

Las temperaturas en grados Centígrados no son exactas, están redondeadas y se dan sólo como guía. Sigue las indicaciones de temperatura del fabricante del horno en relación a la descripción del horno que se da en la receta. Recuerda que los hornos de gas son más calientes en la parte superior; los hornos eléctricos son más calientes en la parte inferior y los hornos con ventilador son más uniformes. Para convertir °C a °F multiplica los °C por 9, divide el resultado entre 5 y súmale 32.

	C°	F°	Gas regulo
Muy ligero	120	250	1
Ligero	150	300	2
Moderadamente ligero	160	325	3
Moderado	180	350	4
Moderadamente caliente	190–200	370–400	5–6
Caliente	210–220	410–440	6–7
Muy caliente	230	450	8
Súper caliente	250–290	475–500	9–10

Medidas para tazas

Una taza equivale a los siguientes pesos.

	Métrico	Imperial
Almendras, en hojuelas	85g	3oz
Almendras, enteras	125g	4½ oz
Almendras, fileteadas, molidas	155g	5½ oz
Arroz, cocido	155g	5½ oz
Arroz, crudo	225g	8oz
Azúcar glas cernida	155g	5½ oz
Azúcar, granulada, extrafina	225g	8oz
Azúcar, morena	155g	5½ oz
Cáscaras de cítricos cristalizadas	225g	8oz
Chabacanos, secos, picados	190g	6¾ oz
Chips o gotas de chocolate	155g	5oz
Ciruelas, picadas	225g	8oz
Coco, seco	90g	3oz
Fruta, seca (mezcla, sultanas, etc.)	170g	6 oz
Germen de trigo	60g	2oz
Harina	115g	4oz
Hojuelas de avena	90g	3oz
Hojuelas de maíz	30g	1oz
Jengibre, cristalizado	250g	8oz
Mantequilla, margarina	225g	8oz
Manzanas, secas, picadas	125g	4½ oz
Miel, melaza, jarabe dorado	315g	11oz
Nueces, picadas	115g	4oz
Pan molido, comprimido	125g	4½ oz
Pan molido, sin comprimir	55g	2oz
Queso, rallado	115g	4oz
Semillas de ajonjolí	115g	4oz
Uvas pasa	155g	5oz

Longitud

Muchas veces se nos dificulta convertir del sistema imperial al métrico. En esta escala redondeamos las medidas para hacerlo más fácil. Para obtener el equivalente métrico exacto en las conversiones de pulgadas a centímetros, multiplica las pulgadas por 2.54 en donde 1 pulgada equivale a 25.4 milímetros y 1 milímetro equivale a 0.03937 pulgadas.

Moldes para pastel

Métrico	15cm	18cm	20cm	23cm
Imperial	6in	7in	8in	9in

Moldes para pan

Métrico	23 x 12cm	25 x 8cm	28 x 18cm
Imperial	9 x 5in	10 x 3in	11 x 7in

Medidas líquidas

Métrico mililitros (mL)	Imperial onza líquida (fl oz)	Tazas y cucharadas
5mL	⅙fl oz	1 cucharadita
20mL	⅔fl oz	1 cucharada
30mL	1fl oz	1 cda + 2 cdts
55mL	2fl oz	–
63mL	2¼fl oz	¼ taza
85mL	3fl oz	–
115mL	4fl oz	–
125mL	4½fl oz	½ taza
150mL	5¼fl oz	–
188mL	6⅔fl oz	¾ taza
225mL	8fl oz	–
250mL	8¾fl oz	1 taza
300mL	10½fl oz	–
370mL	13fl oz	–
400mL	14fl oz	–
438mL	15½fl oz	1¾ tazas
455mL	16fl oz	–
500mL	17½fl oz	2 tazas
570mL	20fl oz	–
1 litro	35.3fl oz	4 tazas

Medidas de distancia

Métrico milímetros (mm), centímetros (cm)	Imperial pulgadas (in), pies (ft)
5mm, 0.5cm	¼in
10mm, 1cm	½in
20mm, 2cm	¾in
2.5cm	1in
5cm	2in
7½cm	3in
10cm	4in
12½cm	5in
15cm	6in
18cm	7in
20cm	8in
23cm	9in
25cm	10in
28cm	11in
30cm	12in, 1 ft

Índice

Baklava 47
Bollos calientes 60
Brownies calientes con salsa de chocolate 36
Brownies de doble chocolate 52
Cuadritos de brandy con albaricoques 39
Cuadritos de chocolate con frambuesas 40
Cuadritos de dos frutas 48
Cuadritos de frutas surtidas 46
Cuadritos de macadamias con caramelo 34
Cuadros de pasas y avena 43
Dedos de chocolate con nuez 42
Lamingtons (para microondas) 35
Mini croissants 66
Muffins clásicos de arándanos 10
Muffins con champiñones 18
Muffins con chispas de chocolate 16
Muffins con papas y crema agria 26
Muffins con plátano y chispas de chocolate 19
Muffins con zarzamoras y especias 20
Muffins de chabacanos con avena 14
Muffins de avena con frutas 11
Muffins de dátiles 30
Muffins de elotitos con queso 10
Muffins de limón con semillas de amapola 23
Muffins de mango con avena 20
Muffins de manzana con avena 22
Muffins de manzana con queso 16
Muffins de manzanas con especias 28
Muffins de naranja y arándanos 24
Muffins de plátanos con piña 24
Muffins de polenta 15
Muffins de queso con tocino 26
Muffins de sardinas 12
Muffins de zanahorias con ajonjolí 29
Nougat con chocolate 53
Pan de aceitunas 74
Pan de albahaca con cerveza 74
Pan de bicarbonato 56
Pan de frambuesas 62
Pan de hierbas con queso 68
Pan de maíz 65
Pan de queso azul con nueces 61
Pan de queso con tocino 73
Panforte de chocolate 51
Pastelitos de atún 13
Petits fours de caramelo y nueces 44
Rebanada de frutas 38
Rebanadas de fresa con chocolate 50
Scones 69
Scones de calabaza 59
Scones de fresas 57
Scones de hierbas frescas y avena 72
Scones de higo 56
Scones de manzana 58
Scones de papa 70
Scones de queso y cebolla 71
Tarta de mantequilla 64
Trufas de pistache 44